W9-CHB-622

CORAZÓN

EDMUNDO DE AMICIS

Copyright © EDIMAT LIBROS, S. A.
C/ Primavera, 35
Polígono Industrial El Malvar
28500 Arganda del Rey
MADRID-ESPAÑA

ISBN: 84-8403-729-0
Depósito legal: M-35970-2003

Colección: Selección Aventura
Título: Corazón
Autor: Edmundo de Amicis
Traducción: Equipo editorial
Título original: *Il Cuore*

Diseño de cubierta: Juan Manuel Domínguez
Impreso en: COFÁS S. A.

Reservados todos los derechos. El contenido de esta obra está protegido por la Ley, que
establece penas de prisión y/o multas, además de las correspondientes indemnizaciones
por daños y perjuicios, para quienes reprodujeren, plagiaren, distribuyeren o comunicaren
públicamente, en todo o en parte, una obra literaria, artística o científica, o su
transformación, interpretación o ejecución artística fijada en cualquier tipo de soporte o
comunicada a través de cualquier medio, sin la preceptiva autorización.

IMPRESO EN ESPAÑA – *PRINTED IN SPAIN*

OCTUBRE

Lunes, 17

Hoy es el primer día de clase. Los tres meses de vacaciones pasados en el campo han sido como un sueño pero ya han acabado.

Mi madre me llevó por la mañana para inscribirme en la tercera elemental. Añorando el campo, no se puede decir que yo fuera de buena gana. Todas las calles estaban llenas de chicos y las dos librerías repletas de padres que compraban carteras, cuadernos y lápices. Había allí tanta gente que el bedel y un par de guardias tuvieron que poner orden.

En la puerta alguien me dio un golpecito en el hombro: mi antiguo maestro de la segunda, que me dijo:

—Ya no nos veremos este año, ¿eh, Enrique?

Sus palabras me impresionaron. Por último entramos en tropel. Había allí de todo. Caballeros y señoras, obreros, oficiales, mujeres del pueblo, abuelos, criadas... Cada uno llevando a su hijo o nieto de la mano, y armando un barullo tremendo.

Mi profesora de la primera superior me miró con un poco de tristeza.

—Ahora, Enrique, tú irás al piso principal y ni siquiera te veré a la entrada y a la salida.

En el piso de abajo, los pequeñines estaban ya en sus puestos. Algunos de ellos no querían entrar y se resistían. Otros se escapaban al ver que sus madres se iban y otros lloraban desconsolados. La profesora no daba abasto para intentar calmarlos. Mi hermanito se quedó en la clase de la profesora Delcato, y a mí me tocó ir con el profesor Perbono, en el primer piso.

A las diez ya estaba cada uno colocado. Sólo quince o dieciséis eran antiguos compañeros míos de la segunda, entre ellos Deroso, el que siempre se llevaba el primer premio.

Nuestro profesor de ahora es alto, con el cabello gris. Tiene la voz ronca y nos mira fijamente, como si quisiera aprenderse nuestros rostros. No parece reír nunca.

«Nueve meses quedan», me decía a mí mismo, suspirando por el campo, los bosques y las montañas. En cambio ahora, cuántos exámenes mensuales y cuántos trabajos...

A la salida corrí a abrazar a mi madre, que me esperaba. Me dio ánimos y me dijo que estudiaríamos juntos las lecciones, lo cual me alegró. Pero ya no tengo a mi antiguo maestro, aquel que reía tanto y era tan pequeño que más parecía uno de nosotros. Bueno, tendré que acostumbrarme al nuevo maestro y a la nueva clase.

Martes, 18

Desde esta mañana también me gusta el nuevo maestro. Mientras dábamos la clase, de vez en cuando se asomaba a la puerta alguno de sus antiguos discípulos para saludarle, lo cual quiere decir que lo recordaban con cariño. Le estrechaban la mano y se iban. Él continuaba tan serio, e incluso parecía que le daba pena. Quizá los echaba de menos.

Comenzó a dictar, paseando entre los bancos. Viendo que un chico tenía la cara muy encarnada y granos en ella, le tocó la frente y le preguntó si se sentía enfermo. En ese momento otro chico se puso en pie y comenzó a hacer tonterías. El maestro se volvió, lo vio, y cuando el chico se preparaba para recibir una buena reprimenda, se limitó a ponerle la mano en la cabeza y le dijo: «No vuelvas a hacerlo». Nada más, pero el chico se quedó avergonzado.

Cuando concluyó la clase, nos miró fijamente y, con lentitud, comenzó a decir:

—Hemos de pasar un año juntos, y procuraremos hacerlo lo mejor posible. Lo conseguiremos si sois buenos y estudiosos. Yo no tengo familia y espero que vosotros seáis mi familia. A nadie tengo en el mundo excepto a vosotros. Espero que seremos como una familia, y trabajaremos todos juntos como hacen las familias. Nada más, hijos míos.

Dieron la hora. El muchacho que había hecho tonterías se acercó al señor Perbono y le pidió perdón en voz temblorosa. El maestro le besó en la frente y le dijo: «Está bien, hijo mío, anda, ve.»

Viernes, 21

El año no ha empezado bien. Cuando iba con mi padre camino de la escuela, vimos que la calle estaba llena de gente, diciendo que había ocurrido una desgracia. El conserje estaba rodeado de gente, y allí cerca se veían los quepis de los guardias municipales. Un caballero con sombrero de copa apareció. Era el médico. Mi padre preguntó qué había ocurrido.

Se trataba de Roberto, un muchacho de la segunda clase, que yendo a la escuela por la calle de Dora Grosa, y viendo a un niño de la primera elemental caer en la calle a pocos pasos de un autobús, acudió valientemente en su auxilio y lo puso a salvo. Pero no pudo impedir que una rueda le pasase por encima del pie y se lo había roto. Era el hijo de un capitán de artillería.

Una señora entró loca de dolor. Era la madre de Roberto. Otra, sollozando, le echó los brazos al cuello: la madre del niño salvado.

Pronto se presentó el director con el niño en brazos. Éste iba pálido y tenía los ojos cerrados.

El director levantó al niño por encima de su cabeza para que todos lo vieran y algunas personas gritaron: «Bravo, Roberto.» Él abrió los ojos y pidió su cartera. La madre del niño salvado se la enseñó diciéndole que no se preocupase, que ella la llevaba.

Metieron al chico en un coche y se lo llevaron. Roberto es un héroe, y Dios le premiará su buena acción.

Sábado, 22

Ayer entró el director con otro chico, un alumno nuevo, muchacho de cara muy morena y de cabello y ojos negros, cejas juntas, y que nos miraba a todos asustado.

El maestro lo cogió de la mano y nos dijo:

—Podéis estar alegres. Hoy entra en la escuela un nuevo alumno, nacido muy lejos de aquí, en la provincia de Calabria, una de las comarcas más hermosas de nuestra patria y que ha dado muchos hombres ilustres, honrados labradores y valientes soldados. Tratadlo bien para que vea cómo en Italia un chico encuentra amigos en todas las escuelas del país.

Nos enseñó en el mapa el lugar que ocupa Calabria, y llamó a Ernesto Deroso, el primero de la clase.

—Como el primero de la escuela, da un abrazo de bienvenida al nuevo compañero. El abrazo del Piamonte a la Calabria.

Deroso lo hizo así y todos aplaudimos y el calabrés parecía contento. El maestro lo acompañó a su banco y luego añadió:

—Recordadlo bien. Para que un muchacho de Calabria se encuentre bien en Turín, y uno de Turín en Calabria, luchó nuestro país cincuenta años y murieron treinta mil italianos. Respetaos y quereos mutuamente. Cualquiera de vosotros que ofendiera a este compañero, sería indigno de mirar de frente a la bandera tricolor.

Cuando se sentó, los más próximos regalaron plumas y lápices al calabrés y otro chico le envió un sello de Suecia.

Martes, 25

El muchacho que regaló al calabrés el sello es el que más me gusta. Es el mayor de todos, tiene casi catorce años y se llama Garrón. Es muy bueno y se le conoce hasta cuando sonríe, y piensa siempre como un hombre.

9

Ahora ya conozco a muchos de mis compañeros. Me agrada mucho Coreta, que usa un chaleco marrón y gorra de piel. Está siempre alegre y su padre es empleado de ferrocarriles, pero antes fue soldado en la división del príncipe Humberto y tiene tres cruces por valiente.

Nelle es un pequeño jorobadito, muy gracioso y de rostro pálido. Otro, Votino, va siempre muy bien vestido. Delante de mí está el «Albañilito», al que llaman así por la profesión de su padre. Tiene cara redonda como una manzana y nariz roma. Pone hocico de liebre y eso nos hace reír mucho.

Junto al «Albañilito» está Garofi, un tipo alto y grueso, con nariz de loro y que siempre está vendiendo plumas y estampas, cajas de fósforos y toda clase de cosas. Luego está Carlos Nobis, muy orgulloso, que se sienta entre dos muchachos que me son muy simpáticos: uno el hijo de un herrero, que lleva una chaqueta hasta las rodillas. Está siempre muy pálido, no ríe nunca. El otro, un pelirrojo, tiene un brazo inmóvil, pegado al cuerpo. Su madre vende hortalizas y su padre está en América.

Mi vecino de la izquierda es un tipo curioso. Se llama Estardo y es pequeño y mal hecho, casi sin cuello y gruñón. Eso sí, no quita ojo al maestro, con la frente arrugada. Si le hacen alguna pregunta mientras está oyendo las explicaciones del señor Perbono, no contesta, y si le repiten la pregunta, se vuelve y le da una bofetada al importuno. A su lado se sienta Franti, de cara sucia y que ya fue expulsado de otra escuela.

Hay también dos hermanos, que parecen gemelos y visten siempre igual. Pero el mejor de todos, el que tiene más ingenio y el que seguro que este año también es el primero, es Deroso. El maestro le pregunta siempre.

Pero yo quiero más a Precusa, el hijo del herrero, el que parece enfermo. Dicen que su padre le pega. Es muy tímido y mira siempre con ojos tristes y bondadosos.

Pero Garrón es sin duda el mejor de todos.

Miércoles, 26

Precisamente esta mañana hemos visto lo bueno que es Garrón. Cuando entré en la escuela, el maestro no había llegado y tres o cuatro chicos estaban atormentando al pobre Grosi, el del pelo rojo y el brazo tullido, cuya madre como ya dije es verdulera.

Le pegaban con las reglas, le tiraban cosas y le imitaban su brazo inútil. El pobrecillo estaba asustado en un extremo del banco y miraba suplicante como si pidiera que le dejaran en paz, pero los otros continuaban.

Franti, el de la cara sucia, hizo ademán de llevar dos cestas en la manos, como hacía la madre de Grosi cuando venía a buscarlo a la escuela. Muchos se rieron y entonces Grosi perdió la paciencia cogió un tintero y se lo arrojó. Franti se agachó y el tintero fue a dar en el pecho al maestro, que entraba en ese momento.

Todos se callaron, aterrados. El maestro subió a la tarima y preguntó con voz terrible quién había hecho aquello.

Nadie respondió y el maestro, aún más furioso, volvió a preguntar. Entonces, Garrón se levantó y repuso que él había sido.

El señor Perbono lo miró fijamente:

—No has sido tú —dijo—. El culpable no será castigado, pero debe confesar. Grosi se puso en pie y llorando dijo que había sido él y por qué causa lo había hecho.

—Siéntate. Que se levanten los que te molestaban.

Cuando lo hicieron añadió.

—Habéis insultado a un compañero y os habéis reído de su desgracia. Habéis golpeado a un pobre que no podía defenderse. Ésa es una de las acciones más bajas y vergonzosas que existen. ¡Cobardes!

Salió por entre los bancos, cogió la cara de Garrón y mirándolo fijamente le dijo:

—Tienes un alma noble, hijo mío.

Garrón le murmuró unas palabras y el maestro se volvió a los culpables: «Os perdono», dijo secamente.

Jueves, 27

Mi maestra del año anterior ha venido a casa, para ir con mi madre a llevar ropa usada a una pobre mujer que pedía ayuda en un periódico.

Yo la quiero mucho, porque ha sido muy buena conmigo, y cuando yo estuve enfermo siempre venía a visitarme. Se preocupa mucho por los chiquitines y se le nota, porque está pálida y muy delgada.

Al despedirse me ha preguntado si la quería aún, ahora que ya estoy en el grupo de los mayores. No me olvidaré, no, y cada vez que vea a una maestra me acordaré de ella, que se ha entregado por completo a sus alumnos. A su lado aprendí muchas cosas, y no solamente las tareas escolares, sino todo lo que un verdadero maestro enseña, como es el saber querer y comprender a los demás, a los padres y a la patria.

Viernes, 28

Ayer fui con mi madre y mi hermana Silvia a llevar la ropa blanca a la pobre mujer que puso un anuncio en el periódico. Subimos hasta el último piso de una casa alta y nos abrió una mujer, joven, macilenta, a la que creí haber ya visto en algún otro sitio.

Mi madre le entregó la ropa y la mujer no cesaba de darle las gracias. Mientras tanto yo miré a mi alrededor y vi en un rincón a un muchacho arrodillado ante una silla y que estaba escribiendo. Me pregunté que cómo se las arreglaría para escribir casi a oscuras. Y mientras lo pensaba reconocí los cabellos rubios y la chaqueta larga de Grosi, el del brazo enfermo, el hijo de la verdulera.

Se lo dije muy bajo a mi madre mientras la mujer recogía la ropa. «Calla», respondió mi madre. «Tal vez se avergüence al verte dar una limosna a su madre.» Pero en ese momento Grosi alzó los ojos. Y yo fui a abrazarlo.

Su madre explicaba a la mía que su marido estaba en América desde hacía seis años y ella estaba enferma y sin poder ir al mercado a vender. Ni siquiera le había quedado la mesa para que su hijo pudiera hacer los deberes.

—Pobre Luis —dijo—, casi no puede estudiar pese a toda la voluntad que pone en ello.

Mi madre le dio todo lo que llevaba en el bolsillo, besó a Grosi y cuando salimos de la casa, lloraba.

—Mira a ese chico —me dijo—. El trabajo que pasa para estudiar, mientras que tú, que gozas de toda clase de comodidades, te quejas y te parece duro el estudio. Tiene mucho más mérito lo que hace él que lo que tú haces en un año. ¿A cuál de los dos deberían dar el primer premio?

He encontrado en mi pupitre una nota de mi padre. Decía así:

«Querido Enrique. El estudio es duro para ti, como dice tu madre. No te veo ir a la escuela con la cara sonriente, como yo quisiera. Pero piensa en lo estériles y vacíos que serían tus días si no asistieses a clase. Al cabo de una semana pedirías de rodillas el ir a ella.

Todos estudian ahora. Piensa en los obreros que van a la escuela por la noche para aprender una instrucción que no pudieron tener cuando eran niños. En las muchachas y mujeres que van en los pueblos a la escuela los domingos, después de misa. En los soldados, que cogen sus libros después de la dura instrucción. Piensa también en los niños mudos y ciegos que, sin embargo, también estudian.

Piensa, más aún, en los innumerables niños que en todos los países del mundo van a sus escuelas. Mírales en sus callejuelas solitarias de las aldeas, por la orilla de mares y lagos, bajo un sol ardiente y bajo una niebla helada. A caballo por las grandes llanuras, en zuecos sobre la nieve, solos o en grupos. Vestidos de mil maneras y hablando mil lenguas, desde las escuelas de Rusia, perdidas en los hielos hasta las de Arabia, a la sombra de palmeras.

Imagina ese enorme hormiguero de niños de mil pueblos, ese movimiento del cual tú también formas parte, y piensa que si ese movimiento cesase, la Humanidad caería en la barbarie.

Ese movimiento es el Progreso. Valor, pues, pequeño soldado del inmenso ejército. Tus libros son tus armas, tu clase es tu escuadra, y el campo de batalla, la tierra entera. La victoria es el establecimiento del Reino de la

Paz y de la civilización humana. ¡No seas jamás un soldado cobarde, hijo mío! *Tu padre.*»

Sábado, 29

No seré un soldado cobarde, no, pero iría con mucho más gusto a la escuela si el maestro nos relatase todos los días un cuento como el que nos ha contado esta mañana. Dice que todos los meses nos contará uno, y nos lo dará por escrito, y será siempre el relato de una acción humana, buena y verdadera, llevada a cabo por un niño. El de hoy se llama:

EL PEQUEÑO PATRIOTA PADUANO

Un navío francés partió de Barcelona para Génova, llevando a bordo franceses, italianos, españoles y suizos. Entre otros, había un chico de unos once años, mal vestido, que siempre estaba aislado de los demás y miraba a todos con desconfianza. Hacía dos años que sus padres, labradores de Padua, le habían entregado a una compañía de titiriteros, cuyo jefe, después de haberle enseñado a hacer varios juegos a fuerza de patadas y bofetones, lo había llevado a través de Francia y España, maltratándolo y dándole apenas de comer.

En Barcelona, y no pudiendo soportar los malos tratos, se escapó y corrió a pedir ayuda al cónsul de Italia. Éste, compadecido, lo había embarcado, dándole una carta para el alcalde de Génova, donde le rogaba que lo devolviese a los padres que le habían abandonado.

Iba en segunda clase y estaba enfermo. Muchos le preguntaban por qué estaba allí, pero él los miraba sin responder. Odiaba a todo el mundo. Por último, tres viajeros consiguieron hacerle hablar y, en una mezcla de varios idiomas, les contó parte de su historia.

Los viajeros no eran italianos, y en parte por compasión y en parte porque habían estado bebiendo y comiendo abundantemente, le dieron algunas monedas, sobre todo para darse importancia ante las señoras.

El muchacho cogió el dinero y les dio las gracias, aún malhumorado, pero algo más humanizado. Fue a cubierta y pensó que con aquellas monedas podría comer alguna cosa que no fuera el pan seco al que tan acostumbrado estaba. También podría comprarse una chaqueta cuando llegara a Génova, tras dos años de ir vestido con andrajos. Incluso le quedaría para llevar algún dinero a casa y así sus padres lo recibirían mejor.

Se había apoyado en una claraboya que daba al salón donde estaban los viajeros que le habían ayudado. Éstos seguían bebiendo y hablaban de sus viajes y de los países que habían visitado. Poco a poco llegaron a hablar de Italia.

Uno se quejó de sus hoteles, otro de sus ferrocarriles y al poco tiempo estaban criticando a todo el país. Hubo uno de ellos que incluso dijo que preferiría haber estado en la Laponia, y otro que no había encontrado en Italia más que bandidos y ladrones. El tercero anunció que los italianos apenas sabían ni leer.

—Un pueblo de ignorantes, sucios y ladrones... —terminaron.

Una tempestad de monedas cayó sobre ellos, golpeándolos en la cabeza y en las espaldas.

Los tres se pusieron en pie y levantaron la mirada hacia la claraboya, sorprendidos.

Allí estaba el niño italiano, que aún les tiró varias monedas a la cara.

—¡Tomad vuestro dinero! —gritó—. ¡Yo no acepto limosna de los que insultan a mi patria!

NOVIEMBRE

Martes, 1

Ayer tarde fui a la escuela de niñas que está junto a la nuestra para darle el cuento del muchacho paduano a la maestra de Silvia, que lo quería leer. En esa escuela hay setecientas chicas. Cuando llegué comenzaban a salir muy contentas por las vacaciones de Todos los Santos y Difuntos, y, ¡qué cosa más hermosa presencié allí!

Cerca de la puerta de la escuela, en la acera de enfrente, había un pequeño deshollinador, con la cara negra, apoyado en la pared con un codo y sollozando amargamente.

Algunas chicas de la segunda sección se le acercaron y le preguntaron lo que le ocurría. Él no respondió y continuó llorando. Ellas insistieron y por último él separó la mano de la cara y todos vimos un rostro infantil.

—He estado en varias casas limpiando las chimeneas y había ganado unas cuantas liras, pero las he perdido por un agujero del bolsillo. No me atrevo a volver a casa sin el dinero, porque el amo me pegará.

Y se volvió otra vez de cara a la pared, continuando con sus sollozos.

Las chicas le miraban muy serias, compadecidas. Se acercaron algunas de las mayores, con sus carteras, y una de ellas sacó del bolsillo una moneda y se la dio.

—No tengo más —dijo—. Pero, ¿por qué no hacemos una colecta?

—Sí —respondió otra—. Aquí está lo mío. A ver si entre todas podemos reunir lo que ha perdido el chico.

Y comenzaron a llamarse entre ellas. «Amalia, Luisa, Anita, ¿no tenéis algo para este niño?»

Muchas llevaban dinero para comprar flores o cuadernos y lo dieron enseguida. Algunas de las pequeñas sólo podían ofrecer céntimos. La primera lo recogió todo y lo iba contando: «Ocho, doce, quince». Pero hacía falta más.

Llegó una que parecía una maestrita y dio varias liras, ganándose una ovación. Pero entonces aparecieron las de la cuarta sección y las monedas llovieron en el sombrero. Era un espectáculo hermoso ver a aquel pobre deshollinador en medio de todos aquellos vestidos de colorines.

Ya estaba todo el dinero y aún sobraba algo. Incluso las mas pequeñas, que no tenían nada, ofrecieron sus ramilletes de flores, por dar algo.

La portera apareció diciendo que llegaba la señora directora, y las chicas corrieron por todas partes como una bandada de pajarillos. Sólo pudo verse al deshollinador, solo, en medio de la calle, engujándose los ojos, con las manos llenas de dinero y con ramitos de flores en los ojales y hasta en el sombrero. Repito que fue algo muy hermoso.

Miércoles, 2

Mi padre me ha dejado una nota en el pupitre:

«Este día está consagrado a los difuntos. ¿Sabes tú, hijo mío, a qué debéis consagrar un recuerdo en este día vosotros los chicos? A todos, sí, pero especialmente a aquellos que consagraron su vida a niños como vosotros.

¡Cuántos han muerto así y cuántos mueren continuamente! ¿Has pensado alguna vez en cuántos padres han consumido su vida en el trabajo y cuántas madres han entregado sus energías, extenuadas por las privaciones que tuvieron que soportar para alimentar a sus hijos? ¿Sabes cuántos padres y madres contrajeron graves enfermedades para librarlos de la miseria, para darles educación, para hacerles buenos cristianos y buenos patriotas?

Piensa Enrique, hoy, en todos esos muertos. Piensa en tantas maestras que fallecieron jóvenes, piensa en los médicos que se contagiaron de enfermedades por curar a niños que las padecían, piensa también en los naufragios y en los incendios y en aquéllos que sacrificaron su vida para salvar la de un pequeño inocente.

Son muchos, Enrique, porque todos ellos quisieron a los niños. Desde el cielo contemplan a sus hijos en la escuela. Piensa en ellos con gratitud, Enrique, y serás capaz de comprender lo afortunado que eres, porque tú, aún, no tienes que llorar a ninguno. *Tu padre.*»

21

Viernes, 4

Sólo han sido dos días de vacaciones, pero me parece que he estado mucho tiempo sin ver a Garrón. Lo quiero más cuando más lo conozco, y lo mismo sucede a los demás, exceptuando a los orgullosos. Cada vez que uno de los mayores intenta pegar a un pequeño, a éste le basta con gritar «¡Garrón!», para librarse del golpe.

Su padre es maquinista de ferrocarril, y él comenzó tarde a ir a la escuela porque estuvo enfermo dos años. Cualquier cosa que se le pida, él la presta: lápices, goma, papel. En clase no se ríe, y sigue atentamente las explicaciones del maestro.

Da un poco de risa verlo tan alto y grande, con los trajes siempre demasiado pequeños para él, y con un sombrero que no le cubre la cabeza, el pelo rapado y la corbata arrollada al cuello como una cuerda.

Los más pequeños lo adoran y siempre querrían estar en su banco. Sabe mucho de aritmética, y lleva los libros atados con una correa. Tiene un cuchillo con mango de concha y un día se cortó con él un dedo hasta el hueso, pero ni siquiera lo dijo en su casa para no asustar a sus padres. Se deja gastar toda clase de bromas, pero que nadie le diga nunca «eso es mentira», porque entonces le brotan chispas de los ojos y da unos puñetazos como para partir un banco.

Hace ocho días que está trabajando en una carta, con dibujos en los márgenes, para entregarla a su madre en su santo. Su madre viene a menudo a buscarlo y es alta y gruesa como él.

El maestro le da palmaditas en el pelo cada vez que pasa junto a él. Yo lo quiero mucho.

Lunes, 7

Ayer por la mañana, Carlos Nobis hizo una cosa indigna; Carlos es uno de los orgullosos, porque su padre es un gran señor, alto, con barba negra, muy serio, que va casi todos los días a buscarle a la salida.

Carlos se peleó con Beti, uno de los más pequeños, e hijo de un carbonero. No sabiendo ya cómo meterse con él, le dijo: «Tu padre es un andrajoso.»

A Beti se le saltaron las lágrimas y cuando llegó a su casa se lo dijo a su padre. Éste fue a ver al maestro para quejarse. Es un hombre pequeño y con la cara muy negra como todos los de su oficio.

Mientras se quejaba al maestro, el padre de Nobis, que estaba esperando a su hijo, oyó su nombre y pasó para ver qué ocurría. El maestro se lo explicó y el padre de Nobis enrojeció.

—¿Has dicho eso? —preguntó a su hijo. Éste agachó la cabeza y no respondió. El padre lo cogió del brazo, le llevó ante el carbonero y le ordenó: «Pide perdón a este señor». El carbonero le pedía que dejase el asunto, pero el padre de Nobis insistió: «Repite mis palabras: Yo te pido perdón por la palabra innoble que dije contra tu padre, al cual el mío tiene mucho honor en estrechar la mano.»

Nobis repitió las palabras balbuciendo, mientras su padre daba la mano al carbonero, el cual se la estrechó.

—Y haga el favor —dijo el padre de Nobis al maestro— de ponerlos juntos en el mismo banco.

Y hasta que no los vio sentados no se marchó, tras saludar al maestro.

Éste nos dijo:

—Acordaos bien de lo que acabáis de presenciar: esta es la mejor lección del año.

Jueves, 10

La maestra Delcato ha venido a ver a mi hermanito, que está enfermo. Nos hemos entretenido mucho oyéndole anécdotas de las cosas que le ocurren con los pequeñines a los que da clase. ¡Cuánta paciencia deben tener las maestras con estos chiquitines! Pierden los zapatos, los lápices, y en cambio se llenan los bolsillos con cosas rarísimas que ella debe quitarles. Lloran, chillan, se pelean y nunca están atentos porque hasta una mosca les distrae.

La profesora tiene que hacer de madre de ellos, limpiarlos, consolarlos, ayudarles a vestirse, y encima ha de soportar a las madres, que siempre se quejan: que si no dan a su hijo buenas notas, que cómo es que su niño pierde tantos lápices...

La maestra Delcato es alta y viste muy bien. Es morena y viva, y lo hace todo como si tuviera resortes en el cuerpo.

Alguna vez pierde la paciencia con los niños, pero enseguida se arrepiente y los acaricia.

—Pero, ¿al menos la quieren a usted? —preguntó mi madre.

—Mucho. Pero después del período escolar, algunos ni se acuerdan ya de su maestra. ¿Qué quiere usted? Yo no trabajo para un día, un curso, sino para toda la vida. Los quiero por su felicidad presente y futura. Y me entristece mucho separarme de ellos. Cuando pasan las vacaciones, algunos llegan a la escuela y corremos a su encuentro, pero ellos vuelven la cabeza como si se hubieran olvidado ya de nosotras. Eso nos entristece. Pero tú no harás eso, ¿verdad? —me pregunta volviéndose hacia mí.

—Tú no volverás la cabeza y no renegarás de tu amiga.

Domingo, 13

Mi madre me mandó a dar un paseo con el hijo mayor del portero. A mitad del paseo, pasando junto a un carro parado ante una tienda, oí que me llamaban y volví la cabeza.

Era Coreta, mi compañero, con su chaqueta de punto marrón y su gorra de piel, sudando y alegre, que llevaba una gran carga de leña sobre sus hombros. Un hombre, de pie sobre el carro, le echaba una brazada de leña cada vez, él la cogía y la llevaba a la tienda de su padre, y de prisa y corriendo la amontonaba.

—¿Qué haces Coreta? —pregunté.

—¿No ves? Repaso la lección.

Me reí, pero él hablaba en serio, y después de coger la brazada de leña empezó a decir de carrerilla: «Llámanse accidentes del verbo... sus variaciones según el número, según el número y la persona...», y se volvía para coger otra brazada.

Era nuestra lección de gramática para el día siguiente.

—¿Qué quieres? —me dijo—. Aprovecho el tiempo. Mi padre se ha ido a la calle con el muchacho para un negocio, y mi madre está enferma. Me toca a mi descargar, por tanto. Entre tanto, repaso gramática, y hoy es una lección difícil. Mi padre me ha dicho que estará aquí

25

a las siete para pagarle a usted —añadió volviéndose al hombre del carro.

El carrero se fue. «Entra un momento en la tienda», me dijo Coreta. Obedecí. Era una habitación llena de haces de leña, con una balanza romana al lado. «Hoy es un día de mucho trabajo. Tengo que hacer mis deberes a ratos y como puedo. Estoy escribiendo los apuntes y llega gente a comprar. Me pongo a escribir de nuevo y viene el carro. Esta mañana he ido dos veces al mercado de la leña, en la plaza de Venecia, y tengo las piernas que ya no las siento. ¡Lo único que me faltaba era también tener que hacer algún dibujo!» Y mientras, barría las hojas secas y las pajillas del suelo.

—Pero, ¿dónde estudias, Coreta? —le pregunté.

—Aquí no, por supuesto. Ven a verlo.

Y me llevó a una habitación dentro de la tienda, que servía de cocina y comedor al mismo tiempo, y a un lado una mesa en donde estaban los libros, los cuadernos y el trabajo empezado.

—Precisamente aquí —me dijo—. He dejado en el aire la segunda contestación: con el cuero se hacen los zapatos, los cinturones... y añado ahora... las maletas y lo escribió.

—¿No hay nadie? —gritó alguien en la tienda.

—¡Allá voy! —respondió Coreta. Y pesó los haces y volvió a su trabajo, diciéndome:

—A ver si puedo continuar la cosa: y las bolsas de viaje, y las mochilas para los soldados. ¡Ay, el café, que se me sale! —y corrió a la hornilla para retirar el café del fuego—. Es el café para mamá —me dijo volviendo—. Espera un poco y se lo llevaremos, así te verá y tendrá mucho gusto en conocerte.

Abrió la puerta y entramos en otro cuarto más pequeño. La mamá de Coreta estaba en una cama grande, con un pañuelo en la cabeza.

—El café, madre. Conmigo viene un compañero de la escuela.

Y mientras, le arreglaba la almohada, componía la ropa de la cama y echaba el gato de la cómoda.

—Te he puesto dos cucharadas de azúcar. Cuando no haya nadie iré a la farmacia. La leña ya está descargada. A las cuatro pondré la carne en el fuego. Todo se hará, tú no te preocupes de nada.

—Gracias, hijo —dijo la señora—. ¡Pobre hijo! Está en todo.

Luego Coreta me enseñó la fotografía de su padre, vestido de soldado, con la Cruz al Valor que ganó en 1866 en la división del Príncipe Humberto.

Volvimos a la cocina.

—Ya he recordado lo que me faltaba. También se hacen con el cuero los arneses de los caballos. Ay, feliz tú que tienes todo el tiempo que quieres para estudiar y aún puedes darte un paseo. Pero lo importante es que mi madre se ponga pronto buena.

Y se puso a partir leña.

—¡Esto sí que es gimnasia! Cuando venga mi padre quiero tenerla toda partida y así se pondrá contento. Lo malo es que después de este trabajo las eles y las tes me salen como serpientes, como dice el maestro.

Un carro cargado de leña se detuvo ante la tienda. Coreta me dijo que ya no podía hablar más contigo, y me agradeció que hubiera ido a verlo.

Y volvió a su trabajo. ¿Feliz yo? Feliz, tú, Coreta, porque estudias y trabajas y eres útil a tu madre y a tu padre. Eres cien veces mejor que yo.

Viernes, 18

Coreta estaba muy contento esta mañana porque iba a presenciar los exámenes mensuales su maestro de la segunda, Coato, un hombrón con mucho pelo crespo y voz de trueno. Amenaza siempre a los alumnos con hacerles pedazos y llevarlos por las orejas, y tiene el semblante tormentoso, pero jamás castiga e incluso sonríe por detrás de su barba sin que nadie se dé cuenta.

Otro maestro de la cuarta clase es viejo, canoso y ha sido profesor de ciegos. Hay otro muy bien vestido, con lentes y bigotito rubio, al que llaman El Abogadillo, porque siendo ya maestro se hizo abogado, y compuso un libro para enseñar a escribir cartas.

El de gimnasia tiene tipo de soldado, ha servido con Garibaldi y tiene en el cuello la cicatriz de un sablazo que recibió en la batalla de Milazo.

Por fin, el director. Es calvo, usa gafas de oro y su barba gris le llega al pecho. Va siempre vestido de negro y abotonado hasta la barba. Es tan bueno que cuando los chicos entran temblando en la Dirección, no les grita, sino que los coge por las manos y les hace reflexiones sobre por qué no deben obrar mal, y que prometan ser buenos. Y todo ello lo hace con una voz tan dulce que todos salen de allí llorosos y mejor corregidos que si les hubiesen castigado. ¡Pobre director! Él es el primero que llega por las mañanas para esperar a los alumnos y dar audiencia a los padres.

Incluso cuando todos los maestros se han ido a sus casas, aún se da una vuelta para ver si alguno de los niños se cuelga de la trasera de un coche, de que no se entretengan en la calle... Basta con que los amenace desde lejos con su dedo índice para que todos salgan corriendo como gorriones.

—Nadie le ha visto reír —me dice mi madre—, desde que su hijo, que era voluntario en el ejército, murió. Tiene su retrato sobre su mesa de despacho, en el colegio.

Quiso presentar su dimisión después de esta desgracia, pero lo iba retrasando una vez y otra. Mi padre le dijo un día: «Sería una pena que usted dejase la dirección», cuando en ese momento entró un hombre a matricular a su hijo, que pasaba de un colegio a otro porque se habían mudado de casa.

Al ver a aquel niño, el director hizo un gesto de asombro. Lo miró y volvió a mirarlo, miró después el retrato que tenía sobre la mesa, y luego sentó al muchacho sobre sus rodillas: aquel niño se parecía mucho a su hijo muerto. Luego, le hizo la matrícula y se volvió a mi padre: «Me quedo», dijo.

Martes, 22

Su hijo era voluntario del ejército cuando murió, por eso el director va siempre a la plaza para ver pasar a los soldados, cuando salimos de clase.

Ayer pasaba un regimiento de infantería y muchos chicos se pusieron a saltar y a cantar alrededor de la música, llevando el compás con sus reglas. Nosotros estábamos en un grupo, en la acera, mirando. Garrón, que mordía un pedazo de pan. Votino, ese tan elegante que siempre está quitándose motas de polvo del traje. Precusa, el hijo del herrero con la chaqueta de su padre, el calabrés, el «Albañilito», Grosi, con su cabeza roja y también Roberto, el hijo del capitán de Artillería, que salvó a un niño del autobús, y que ahora anda con muletas.

Franti se echó a reír al ver a un soldado que cojeaba, pero de pronto sintió una mano sobre su hombro. Se volvió y vio al director.

—Oye —le dijo éste—. Burlarse de un soldado cuando está en filas, cuando no se puede defender, es como insultar a un hombre atado: es una villanía.

Franti desapareció. Los soldados pasaban de cuatro en cuatro, sudando, cubiertos de polvo y las puntas de sus bayonetas resplandecían al sol. El director dijo:

—Debéis querer mucho a los soldados. Son nuestros defensores; ellos irían a hacerse matar por nosotros si mañana un ejército extranjero amenaza nuestro país. Son también muchachos, pues tienen pocos más años que vosotros, y también van a la escuela. Entre ellos los hay pobres y ricos, como entre vosotros, y vienen de todas partes de Italia. Vedlos, casi se les puede reconocer por sus caras: pasan sardos, lombardos, sicilianos, napolitanos... Éste es un regimiento veterano de los que han combatido en 1848. Los soldados ya no son aquéllos, pero la bandera es siempre la misma. Muchos murieron por la patria, alrededor de esa bandera antes de que nacierais vosotros.

—Ahí vienen —dijo Garrón. En efecto, la bandera ya estaba cerca, sobresaliendo por encima de las cabezas de los soldados.

—Saludad, hijos míos —dijo el director—. Saludad a la bandera tricolor.

La bandera, llevada por un oficial, pasó ante nosotros, rota y descolorida, con sus corbatas sobre el asta. Todos, a un tiempo, nos llevamos las manos a las gorras.

El oficial nos sonrió y nos devolvió el saludo con la mano.

—Bien, muchachos —dijo alguien detrás de nosotros. Nos volvimos y vimos a un anciano que llevaba en el ojal la cinta azul de la batalla de Crimea—. Habéis hecho una cosa que os enaltece. El que de pequeño respeta la bandera sabrá defenderla cuando sea mayor.

Miércoles, 23

También Nelle, el jorobadito, miraba ayer a los soldados, pero de un modo un poco triste como si pensara: «Yo nunca podré ser soldado». Es bueno y estudia, pero está demacrado y pálido, y le cuesta trabajo respirar. Su madre es una señora pequeña, rubia, vestida de negro, que viene siempre a recogerlo a la salida, para que no salga en tropel como los demás, y lo acaricia mucho.

En los primeros días, muchos se burlaban de él, pero nunca se enfadó ni decía nada a su madre para no entristecerla si veía que su hijo era el juguete de sus compañeros, que le pegaban en la espalda con las carteras. Lloraba apoyada la cabeza sobre el banco.

Pero una mañana, Garrón se levantó y dijo: «Al primero que toque a Nelle le doy un testarazo que lo tumbo.» Franti no hizo caso y recibió el testarazo, y desde entonces nadie volvió a meterse con Nelle. El maestro lo puso cerca de Garrón y se hicieron muy amigos. Apenas entra Nelle en la escuela, busca a Garrón y procura no separarse de él.

Y debe haberle dicho a su madre que Garrón le defiende, porque esta mañana me mandó el maestro llevar al director el programa de la lección media hora antes de la salida, y yo estaba en su despacho cuando entró la señora rubia, la madre de Nelle, y dijo: «Señor director, ¿Hay en la clase de mi hijo un niño que se llama Garrón? ¿Quiere hacerle el favor de decirle que venga?»

El director obedeció y pronto llegó Garrón, muy asombrado. La señora corrió a su encuentro y le echó los brazos al cuello, diciéndole: «Tú eres Garrón, el amigo protector de mi hijo.»

Buscó en sus bolsillos y no encontrando nada en ellos se quitó del cuello una cadena con una crucecita y se la colgó a Garrón, diciendo: «Toma, llévala en recuerdo de la madre de Nelle, que te bendice por todo lo que haces por su niño.»

Viernes, 25

Si Garrón se capta el cariño de todos, Deroso se lleva la admiración. Ha obtenido el primer premio, por lo que será también el número uno este año. Nadie puede competir con él. Todos reconocen su superioridad en todas las asignaturas.

Todo lo comprende al vuelo, y tiene una memoria prodigiosa. Todo lo aprende sin esfuerzo. El maestro le dijo ayer: «Has recibido grandes dones de Dios; no los malgastes nunca.»

Solamente Nobis y Franti lo miran de reojo y a Votino le rebosa la envidia por todos los poros, pero él parece que no lo nota siquiera. Es alto, agraciado, tiene el cabello rubio y rizado, y es tan ágil que salta sobre un banco sin apoyar en él más que la mano. Ya sabe esgrima. Es hijo de un comerciante y siempre va vestido de azul, con botones dorados.

Pero no sólo es listo, sino que todo lo que le dan en su casa lo regala a los demás, pero sin concederle importancia. Ayuda en los deberes a los que van retrasados y le ha hecho al calabrés un mapa de su tierra. No hay manera de no quererlo.

Yo a veces lo envidio, sobre todo cuando me cuesta trabajo hacer un deber y pienso que a esas horas él ya habrá terminado los suyos. Pero después, cuando en la escuela lo veo tan bien dispuesto hacia todos, sonriente y afable, entonces desaparece mi envidia.

El maestro le ha dado a copiar el cuento del mes que él mismo leerá mañana. Y mientras lo copiaba, he visto que está conmovido con aquel hecho heroico. Tenía los ojos húmedos y la boca temblorosa.

Con gusto le hubiera dicho yo: «Deroso, vales más que todos nosotros. ¡Te respeto y te admiro!»

El cuento del mes se llama:

EL PEQUEÑO VIGÍA LOMBARDO

En 1859, durante la guerra por el rescate de la Lombardía, pocos días después de la batalla de Solferino, que los franceses y los italianos ganaron contra las tropas austríacas, en una mañana del mes de junio, una sección de caballería de Saluzo iba por una estrecha senda, en terreno enemigo, y explorando el camino para evitar una emboscada.

Mandaba la sección un oficial y llevaba consigo al sargento. Miraban a derecha e izquierda, atentos por si divisaban en cualquier momento las enseñas blancas de las tropas enemigas.

Llegaron a una casa de campo, rodeada de árboles y delante de la cual sólo había un muchacho de unos doce años, que se fabricaba un bastón con una rama y un cuchillo.

En una de las ventanas, tremolaba al viento la bandera tricolor.

Dentro no había nadie. Los aldeanos, tras de haber colocado la bandera, habían huido, por miedo a los austríacos.

Apenas divisó a la sección de caballería, el muchacho tiró el bastón y se quitó la gorra. Era un niño de aire descarado, con ojos grandes y azules, de cabellos rubios y largos. Estaba en mangas de camisa y llevaba el pecho casi desnudo.

El oficial paró el caballo ante él.

—¿Qué haces aquí? —preguntó—. ¿Por qué no te has ido con los tuyos?

—Yo no tengo familia —respondió el chico—. Soy huérfano y trabajo para todo el que me da algo de dinero. Y me he quedado aquí para ver la guerra.

—¿Has visto pasar a los austríacos?

—No, desde hace tres días que vi los últimos.

El oficial permaneció un rato pensativo. Luego se apeó del caballo y, dejando a los soldados afuera, entró en la casa y subió hasta el tejado. Desde él se veía una pequeña extensión de terreno, solamente.

—Habrá que subir a alguno de los árboles —dijo para sí. Precisamente delante de la casa se alzaba un fresno altísimo cuya copa llegaba casi hasta las nubes.

Indeciso, permaneció unos instantes. Luego, de pronto, se volvió al chiquillo.

—¿Tienes buena vista, tú?

—Vaya —respondió el muchacho—. Veo un pájaro a dos leguas de distancia.

—Y, ¿sabrías subir a lo alto de ese árbol?

—Claro que sí. En menos de dos minutos estoy arriba, si quiero.

—Y... ¿podrás decirme, una vez arriba, lo que ves, si hay soldados austríacos, o nubes de polvo, bayonetas que relucen, caballos...?

—Claro que lo sabré. Nada más fácil.

—Y, ¿qué querrías por prestarme ese servicio?

El muchacho sonrió.

—Nada ¡Pues vaya una cosa! Si me lo pidieran los austríacos no lo haría a ningún precio, pero por los nuestros, vaya si lo haré. Soy lombardo.

—Súbete, pues.

—Espere que me quite los zapatos, señor oficial.

Se los quitó, se quitó también la gorra y se apretó el cinturón. Luego se abrazó al tronco del árbol. El oficial, presa de un súbito remordimiento, iba a decirle que lo dejara, extendió el brazo.

—¿Qué? —preguntó el pequeño mirándolo.

—Nada. Sube.

Y como un gato, desapareció entre las ramas. El oficial gritó a sus soldados que se mantuvieran alerta.

El muchacho estuvo pronto en la copa del árbol, abrazado al tronco, con las piernas sobre dos ramas. El oficial apenas lo veía, tan pequeño resultaba allí arriba.

—Mira al frente y lo más lejos que puedas —le ordenó el oficial a gritos.

El chico sacó la mano de entre las hojas y se la puso a modo de pantalla ante los ojos.

—¿Qué ves, chico?

—¡Dos hombres a caballo en el camino!

—¿A qué distancia?

—Una media legua.

—¿Se mueven o se están quietos?

—Están parados, señor.

Hubo unos instantes de silencio. Luego el oficial volvió a preguntar:

—¿Alguna otra cosa, chico? A la derecha, por ejemplo.

Un instante después oyó la respuesta:

—Algo brilla allí. Pueden ser bayonetas.

—¿Y gente?

—No, están ocultos en los sembrados, seguramente.

En ese momento una bala silbó en el aire, pasando por encima de la casa.

—¡Bájate, muchacho! —gritó el oficial—. ¡Te han visto! Ya tengo bastante. Bájate, vamos.

—No tengo miedo, señor.

—¡Baja! Pero antes, ¿qué ves a la izquierda?

El chico volvió la cabeza. En ese momento otra bala silbó más cerca. El crío bajó la cabeza, escondiéndola.

—¡La han tomado conmigo, señor! —gritó—. La bala ha pasado cerca.

—¡Te he dicho que bajes! —le gritó el oficial furiosamente.

—Ahora bajo, señor. El árbol me resguarda. ¿A la izquierda, dice?

—Sí, pero baja inmediatamente.

—Allí, donde hay una capilla, me parece ver...

Una nueva bala silbó en el aire en calma. Todos vieron cómo el muchacho se venía abajo, precipitándose entre las ramas, con los brazos abiertos.

—¡Maldición! —rugió el oficial, acudiendo en su auxilio.

El chico tocó la tierra de espaldas y quedó tendido. Un reguero de sangre le salía del pecho. El sargento y dos soldados se bajaron de los caballos.

El oficial le abrió la camisa. La bala le había entrado en el pulmón izquierdo.

—¡Está muerto! —dijo.

—No, vive —respondió el sargento.

—¡Pobre criatura! ¡Ánimo, muchacho! —pero mientras le apretaba el pañuelo en la herida, el chiquillo movió los ojos y luego se quedó inmóvil. Había muerto.

El oficial palideció. Le colocó la cabeza sobre la hierba y se puso en pie. Estuvo un instante mirándolo. También el sargento y los soldados, inmóviles, lo miraban. Los demás estaban vueltos hacia el lugar por donde podía llegar el enemigo.

—Pobre y valiente muchacho —dijo el oficial.

Luego fue a la casa, cogió la bandera tricolor y la extendió sobre el cuerpecillo, dejándole la cara descubierta. El sargento colocó a su lado los zapatos, la gorra y bastón.

Permanecieron un rato silenciosos y después el oficial dijo al sargento:

—Mandaremos que lo recoja la ambulancia. Ha muerto como un soldado y como un soldado debemos enterrarlo.

Le dio un beso en la frente y gritó «¡A caballo!» Todos subieron a sus monturas y la sección volvió a emprender la marcha.

Pocas horas después el valiente muchacho recibía los honores de guerra.

Al ponerse el sol, la línea de avanzada italiana se dirigía hacia el enemigo, por el mismo camino que por la mañana avanzara la sección, acompañados por un batallón de cazadores.

La muerte del muchachito había corrido ya entre los soldados. El camino, franqueado por un arroyuelo, pasaba a pocos metros de la casa. Cuando los primeros cazadores vieron el pequeño cadáver le saludaron con los sables y alguno recogió unas florecillas del arroyo y las dejó sobre el cuerpo.

Los demás siguieron su ejemplo, al tiempo que saludaban. «Bravo, lombardo; adiós, pequeño lombardo, bendito seas, adiós.»

Un oficial le puso su cruz roja, otro lo besó en la frente y las flores continuaron cayendo sobre sus desnudos pies, sobre su pecho ensangrentado, sobre la rubia cabeza. Y él parecía dormido en la hierba, envuelto en la bandera, con el rostro pálido y casi sonriente, como si oyera los saludos y estuviese alegre por haber dado la vida por la patria.

Martes, 29

Mi madre me dejó una nota en el pupitre:

«Dar la vida por la patria, como el pequeño lombardo, es una gran virtud, pero no olvides, hijo, otras virtudes menos brillantes, pero también necesarias. Esta mañana cuando volvías de la escuela pasaste junto a una pobre mujer que tenía un niño extenuado y flaco sobre sus rodillas y no le diste nada, aunque quizá llevabas dinero en el bolsillo.

No seas indiferente ante la miseria, hijo mío. Piensa que quizá ese niño tuviera hambre y piensa en la desesperación de esa madre al no poderle dar de comer. Imagínate mi sufrimiento si algún día yo te tuviera que decir: "Enrique, hoy no puedo darte ni un pedazo de pan."»

La limosna es un acto de caridad, y cuando la da un niño es al mismo tiempo una caricia, porque no humilla. Piensa que a ti nada te falta y que a ellos les falta todo.

No tener qué comer, ¡Dios mío! Niños como tú, inteligentes, buenos, que en medio de una ciudad llena de cosas no tienen nada que llevarse a la boca. No pases nunca más delante de una madre que pide limosna sin dejarle un socorro en la mano.

Tu madre.»

DICIEMBRE

Jueves, 1

Mi padre quiere que cada día de fiesta haga venir a casa uno de mis compañeros, para que poco a poco vaya haciéndome amigo de todos. El domingo fui a pasear con Votino, ese que tanta envidia tiene de Deroso.

Hoy ha venido a casa Garofi, ese que tiene la nariz como el pico de un loro. Es hijo de un droguero y siempre está cambiando, vendiendo o comprando cosas. Cuenta siempre el dinero que tiene en el bolsillo, y si se le cae una moneda es capaz de pasarse una semana buscándola.

Todo lo recoge, todo le vale para sus cambalaches. Compra por dos y vende por cuatro. Hemos jugado a las tiendas, que es lo que le gusta. Se sabe todas las medidas y el valor de todo. Tiene una colección de sellos y se ha puesto muy contento porque le he dado algunos.

En suma, será un comerciante, no hay duda, cuando sea mayor.

Lunes, 5

Ayer fui a pasear con Votino y su padre, por la Alameda de Rívoli. Vimos a Estardo, parado ante una librería mirando los libros, y no nos saludó siquiera. No es extraño, sólo piensa en estudiar y lo hace hasta en la calle.

Votino iba muy bien vestido, como siempre. Tras andar un buen rato, y como su padre se había quedado atrás, nos sentamos en un banco en el que ya había otro niño. Un hombre que debía ser su padre paseaba entre los árboles.

Votino comenzó a hablar de lo bien vestido que iba, enseñándome su traje como si no lo hubiera visto, alardeando, muy vanidoso. Miraba de reojo al muchacho, para ver si éste se daba cuenta, pero el chiquillo tenía la vista clavada ante sí y no atendía.

Por último Votino me enseñó su reloj, me dijo que valía mucho dinero y le preguntó al chico desconocido si no le gustaba. El chico respondió secamente. «No lo sé». «Pues sí que es soberbio el niño», dijo Votino. En este momento, llegó el padre de Votino, que le oyó. Miró fijamente al muchacho desconocido y le dijo a su hijo: «Es ciego.»

En efecto, tenía las pupilas apagadas, sin brillo. Votino se puso muy colorado y murmuró: «Lo siento.» «No importa, estoy acostumbrado», respondió el cieguecito. Votino es muy vanidoso, pero no tiene mal corazón.

Sábado, 10

¡Ya están aquí las primeras nieves! Ayer tarde cayeron los primeros copos. Esta mañana daba gusto verla caer desde la escuela.

¡Y qué alegría a la salida! Todos echamos a correr, resbalando, haciendo bolas de nieve. Los padres tenían los paraguas blancos y los guardias municipales también blancos los quepis.

Hasta Precusa, el hijo del herrero, parecía menos infeliz que otras veces. Roberto, que salvó a otro niño del autobús, saltaba con sus muletas, y el calabrés, que jamás había visto nieve, hizo una pelota con ella y se la comía, como si fuera una fruta.

Salieron las niñas de su escuela, chillando como pájaros, y los bedeles nos decían: «A casa, a casa». En la mesa, mi padre me dijo:

—Me parece muy bien que festejéis el invierno, pero debéis recordar una cosa: Hay niños sin pan, sin zapatos y sin lumbre. Hay millares de niños que bajan a las ciudades después de un camino muy largo, llevando en sus manos ateridas un pedazo de leña para calentar la escuela. Hay centenares de escuelas casi sepultadas en la nieve, oscuras, donde los chicos se ahogan con el humo, y que miran con terror al hielo, porque eso casi siempre significa para ellos. Recordadlo: el invierno, para muchos, sólo significa miseria y muerte.

Domingo, 11

El «Albañilito» ha venido hoy a casa, con la ropa de su padre, aún blanca de cal. A mi padre le gusta mucho. En cuanto entró se quitó su viejo sombrero y se lo metió en el bolsillo. Viendo un cuadro que representaba a Rigoletto, el bufón jorobado, puso enseguida su hocico de liebre, que tanta gracia nos hace.

Jugamos con palitos, con ellos tiene una gran habilidad para hacer casas y puentes, mientras me hablaba de su familia. Viven en una buhardilla; su padre va a la escuela de adultos, por la noche, y su madre no es de aquí. Sus padres deben quererlo mucho, porque siempre va bien resguardado del frío, aunque pobremente. Su padre es un gigantón.

Se le cayó un botón y mi madre se lo cosió, lo que hizo que se pusiera muy colorado. Luego le enseñé mi álbum de caricaturas y él las imitaba con su graciosa carilla. Como su blusa había dejado una mancha blanca en el sofá, iba a limpiarla, pero mi padre no quiso que lo hiciera, sino que lo hizo él mismo cuando nadie lo veía. Cuando se marchó Rabusco, que así se llama el «Albañilito», mi padre me explicó su acto.

—Él no lo había hecho de intento, y limpiarlo ante él hubiera sido como culparle por haberlo manchado. El trabajo, hijo, no ensucia. Si ves a alguien, a un obrero, no digas nunca: «Va sucio», sino «tiene en su ropa las huellas de su trabajo.» Quiere mucho a Rabusco, porque es tu compañero y además porque es el hijo de un obrero.

Viernes, 16

Sigue nevando. Esta mañana ha ocurrido un accidente desagradable. Un grupo de chicos se pusieron a hacer bolas de nieve, que pronto se hacen pesadas como piedras, y a tirárselas. Se oyó un grito agudo al otro lado de la calle y vimos a un viejo que había perdido su sombrero y andaba vacilante, con las manos en la cara.

Acudió gente. Una bola le había dado en un ojo. Todos los muchachos se desbandaron. Yo estaba ante la tienda del librero, donde había entrado mi padre. Los guardias corrían de un lado a otro preguntando que quién había sido el que le había dado el pelotazo al señor. Varios de mis compañeros, entre los cuales estaba Garrón, vinieron hasta donde yo estaba y miraron los escaparates de librería, como si la cosa no fuera con ellos.

Reparé en que Garofi, el de la nariz de loro y el que todo lo compra y vende, temblaba y estaba muy pálido. Garrón le dijo por lo bajo: «Anda, ve a decir que has sido tú. Sería una cobardía dejar que cogieran a otro». «Pero si no lo he hecho adrede», gemía Garofi. «No importa, cumple con tu deber», le respondió Garrón. «Yo te acompaño, si quieres.»

Los guardias seguían gritando para tratar de averiguar quién había sido. Yo creí que Garofi iba a caerse al suelo, de asustado que estaba. Garrón lo cogió del brazo y, diciéndole que él lo defendería, lo llevó hacia adelante, sosteniéndolo como a un enfermo.

La gente comprendió enseguida, y algunos hombres corrieron hacia él, amenazadores, pero Garrón se interpuso diciendo: «¿Qué? Van a pegar diez hombres a un niño?»

Un guardia lo llevó a Garofi hasta una pastelería donde había metido al anciano. «Ha sido sin querer», balbuceaba Garofi. Dos hombres lo metieron violentamente en la tienda y le gritaron: «Pide perdón y baja la cabeza.»

Una voz resuelta dijo:

—No, señores.

Era el director, que había aparecido. «Puesto que ha tenido el valor de presentarse», añadió, «nadie tiene derecho a maltratarlo».

Garofi pidió perdón al anciano, llorando, y éste le acarició la cabeza cariñosamente. Mi padre me sacó de allí y me preguntó si en su caso hubiera yo tenido el valor de presentarme. Yo dije que sí y eso pareció complacerlo mucho.

Sábado, 17

Hoy no ha venido el maestro y lo ha sustituido la más vieja de las maestras, la señora Gromi. Enseguida nos ha dicho. «Respetad mis canas. Yo casi no soy ya una maestra, sino una madre.» Y todos los que gritaban y revolvían se han quedado quietos.

Hay una maestra que me gusta mucho. Es joven, tiene las mejillas encarnadas y lleva una graciosa pluma azul en el sombrero. Se las arregla muy bien con los pequeñines y éstos la quieren a rabiar.

Domingo, 18

Con esa maestra de la pluma azul está el nieto del señor al que Garofi le pegó en el ojo con la bola de nieve. Hoy le hemos visto. Yo había concluido el cuento del mes, para la semana próxima, que el maestro me había dado a copiar y mi padre me dijo que subiéramos a ver cómo estaba aquel señor de su herida.

Hemos entrado en una habitación casi a oscuras, donde estaba el viejo, recostado en la cama. A su lado, asustada, estaba su esposa y al otro lado su nietecillo sin hacer nada. El viejo tenía el ojo vendado.

Se alegró mucho al ver a mi padre y le hizo sentar y le dijo que dentro de unos días estaría curado. «Fue una desgracia y lamento el mal rato que debió pasar ese muchacho.»

Llamaron a la puerta y creyeron que sería el médico, pero al abrir nos llevamos la sorpresa de ver a Garofi, en el umbral, sin atreverse a entrar.

—Es el muchacho que tiró la bola de nieve —dijo mi padre al anciano.

—Pobre niño, ven acá. Has venido a verme. ¿No? Pues bien, estoy mejor, casi curado, así que tranquilízate.

Garofi se acercó a la cama, y el viejo siguió tranquilizándole. Pero Garofi parecía tener algo que decir, aunque no se atrevía. De pronto sacó de debajo del capote un objeto y se lo dio al nietecito, diciéndole con rapidez «Toma, para ti.»

El niño enseñó el objeto a su abuelo. Lanzamos una exclamación de sorpresa: ¡Lo que el pobre Garofi le regalaba no era otra cosa que su famosa colección de sellos, en la que tantas esperanzas fundaba y que tanto trabajo le había costado reunir! ¡Regalaba la mitad de su fortuna a cambio del perdón!

Ayer he leído el cuento semanal, que esta vez se llama:

EL PEQUEÑO ESCRIBIENTE FLORENTINO

Un gracioso niño florentino estaba en la cuarta clase elemental. Tenía los cabellos rubios y la cara blanca. Era hijo de un empleado de ferrocarriles, que, teniendo mucha familia, todos más pequeños que el muchacho de que hablamos, y poco sueldo, vivía con mucha estrechez.

Su padre lo quería mucho y era muy bueno e indulgente con él. Indulgente en todo menos en lo que se refería a la escuela: en esto era muy exigente y severo, ya que pensaba que el hijo debía ponerse pronto en condiciones de obtener un empleo para ayudar a sostener a la familia. Y aunque el muchacho ya era de por sí muy aplicado, el padre siempre le estaba obligando a estudiar más y más.

El padre era ya mayor y el excesivo trabajo le había envejecido prematuramente. Con mucho esfuerzo, además de su trabajo rutinario, se buscaba otros trabajos extraordinarios, entre ellos el de copista, y se pasaba sin descansar trabajando en su mesa muchas de las horas que su empleo le dejaba libre.

Últimamente, de una editorial había recibido el encargo de escribir el nombre y la dirección de los suscriptores y ganaba algunas liras por cada quinientas tiras de papel, fajas se llamaban, que copiaba en caracteres regulares y grandes.

Esta tarea le cansaba y a menudo se lamentaba de ello ante su familia, a la hora de comer. «Estoy perdiendo la vista», decía. «Esta ocupación de noche acabará conmigo.»

El hijo le dijo un día:

—Papá, déjame que trabaje como tú. —Pero el padre le respondió: —

No hijo, no, tú debes estudiar. Tu escuela es mucho más importante que escribir fajas con direcciones. No hablemos de ello siquiera.

El hijo no insistió, pero he aquí lo que se le ocurrió. Sabía que a las doce en punto su padre dejaba de escribir las fajas y salía del despacho para la alcoba. Una noche esperó a que estuviese ya en la cama y sin hacer ruido anduvo a tientas por el cuarto, encendió el quinqué de petróleo, se sentó en la mesa del despacho, donde había un montón de fajas blancas y la relación de las señas de los suscriptores y comenzó a escribir imitando la letra de su padre.

Escribía contento, gustoso, aunque con miedo de que lo descubrieran; escribió ciento sesenta y lo dejó. Apagó la luz y se marchó a la cama.

Aquel día su padre se sentó a comer muy satisfecho. No había advertido nada. Como era un trabajo tan mecánico, no contaba las fajas escritas hasta la mañana siguiente.

—Eh, Julito —dijo a su hijo—. Mira qué buen trabajador es tu padre. En dos horas he trabajado anoche casi la mitad más de lo que suelo hacer. Y no estoy cansado siquiera.

Julio, contento, pero callado, pensaba que no solamente había hecho el trabajo para su padre, sino que además le había proporcionado la alegría de pensar que aún era muy útil.

A la noche siguiente en cuanto dieron las doce, se levantó de nuevo y se puso a trabajar. Y lo mismo las noches siguientes. Su padre seguía sin advertir nada. Sólo de vez en cuando se le ocurría decir que aquella lámpara gastaba mucho petróleo de algún tiempo a esta parte. Julio se estremeció, pero como el padre no dijo nada más, él siguió con su trabajo.

Lo que ocurrió fue que, interrumpiendo así su sueño nocturno, Julio no descansaba lo suficiente. Se levantaba rendido y al estudiar le costaba mucho esfuerzo. Una noche incluso se quedó dormido sobre los apuntes.

—Vamos, vamos —le dijo su padre—. Al trabajo.

Se asustó y volvió al estudio. Pero la cosa continuó

los días siguientes. Se despertaba tarde, estudiaba las lecciones con mucho trabajo y daba cabezadas sobre los libros. Su padre comenzó a notarlo, se preocupó y por último se vio obligado a reprenderle.

—Julio, estás descuidando el estudio. No eres el de antes. Y no quiero que sigas así. Todas las esperanzas de la familia están puestas en ti. Estoy muy disgustado contigo.

«Sí», se dijo el muchacho. «Es menester que el engaño termine. Así no puedo continuar.» Pero la noche de ese mismo día el padre anunció muy satisfecho que aquel mes había ganado con las fajas el doble que el anterior. Y sacó una caja de dulces que había comprado para el postre.

Julio, al ver la alegría de su padre, comprendió que iba a seguir con el engaño. Haría mayores esfuerzos, pero no dejaría que su padre pensara que era un inútil y que, ya viejo, no servía para nada.

—Pues sí —siguió el padre—. Más del doble, pero hay una cosa que me disgusta: Eres tú, Julio, que te abandonas en el estudio y eso no me gusta nada.

Julio siguió trabajando con ahínco, pero los dos trabajos, acumulados se hacían cada vez más pesados. La cosa duró dos meses y el padre continuaba reprendiéndolo y mirándole cada vez más disgustado. Un día habló con el maestro y éste le dijo que el muchacho tenía inteligencia, pero que no se aplicaba ya tanto como antes. «Se duerme, bosteza, añadió, está distraído, y los deberes los hace a prisa y con mala letra.»

Esa noche el padre llamó al niño aparte y comenzó a hacerle consideraciones más severas que nunca.

—Julio, tú ves que yo trabajo, que gasto mi vida y mi vida por mi familia. Tú en cambio descuidas tus deberes, no tienes lástima ni de mí ni de tus hermanitos.

—¡Eso no, padre! —gritó el niño, ahogando el llanto. Pero su padre le interrumpió.

—Tú conoces las condiciones de la familia, sabes que hay necesidad de sacrificarnos todos. Yo contaba este mes con una gratificación en el ferrocarril, pero hoy mismo he sabido que no la tendré. Y tú, mientras tanto, comportándote tan mal en la escuela y estudiando menos que nunca.

Julio, que estaba a punto de confesar, ante la noticia de que habría menos dinero, se calló. No, guardaría el secreto y continuaría trabajando mientras pudiera.

Transcurrieron otros dos meses de aquel trabajo nocturno, de pereza durante el día y regaños por parte del padre, el cual ya apenas le hablaba a su hijo sino raras veces. Julio lo advertía y sufría en silencio. Estaba demacrado y cansado continuamente.

Y sin embargo, al dar las doce, y aunque se había propuesto dejarlo, se levantaba automáticamente, porque de lo contrario le parecía que estaba faltando a su deber.

Por otra parte temía que cualquier noche su padre se levantara y lo sorprendiera.

Pero una tarde el padre pronunció la palabra decisiva. Su madre lo miró y le dijo: «Julio, estás muy pálido y demacrado. Tú estás enfermo.» El padre lo miró de reojo y dijo: «Es la mala conciencia. No estabas así cuando estudiabas y tenías la conciencia tranquila.» «Pero está enfermo», insistió la madre. «Pues no me importa», respondió el padre.

El muchacho sufría agonías de muerte. El padre ya no le quería, y ya ni siquiera se preocupaba si estaba enfermo. «Hay que acabar con esto», se dijo. «Se lo diré todo, todo, y lo comprenderá.»

Pero aquella noche volvió a levantarse, más que nada por la fuerza de la costumbre que por otra causa. Pero estaba tan cansado que al sentarse a la mesa, se le cayó un libro. Se quedó helado.

Escuchó: nada se oía. Tranquilizado, volvió a escribir las fajas.

Estaba tan atento a su trabajo que no advirtió que su padre, alertado por el ruido, había llegado silenciosamente y estaba parado detrás de él. Veía correr la pluma sobre las fajas, y ahora comprendía todo, todo.

Julio, de pronto, dio un grito. Dos brazos lo habían cogido por los hombros; se volvió aterrado, pero era su padre.

—Padre, perdóname —dijo.

—¡Perdóname tú a mí! —respondió el padre sollozando—. Soy yo quien te pido perdón, criatura, hijo mío —y lo llevó a la cama donde estaba la madre, despierta y aterrada, y le dijo—: «Besa a nuestro hijo. Desde hace tres meses trabaja para mí de noche, y yo le he insultado mientras él nos ganaba el pan.

Apretado por los brazos de su madre, Julio lloraba. Por último, el padre lo cogió y lo llevó hasta la cama, pero no se conformó con arroparle, sino que le tomó por la mano y la sostuvo hasta que el niño se durmió. Cuando despertó vio la blanca cabeza de su padre sobre la almohada a su lado. También él, agotado, se había dormido sin querer separarse de su hijo.

Miércoles, 28

Garofi está muy contento. Le han devuelto su colección de sellos y encima le han agregado unos sellos de

Guatemala. Estardo, el muchacho que jamás habla con nadie y que pega si le interrumpen cuando escucha la lección, ha ganado el segundo premio. ¡Estardo, el segundo premio! Parece imposible, y todos estamos admirados. Él, que cuando su padre lo llevó por primera vez le dijo al maestro: «Tenga usted paciencia con él, porque es tardo de comprensión.»

Todos al principio lo creían un adoquín, pero él, terco como una mula, apretaba los puños y continuaba. No comprendía las matemáticas, nada entendía, pero ahora resuelve sus problemas, lentamente, pero con seguridad. Tiene una voluntad de hierro.

Estudia hasta los periódicos, que lee de cabo a rabo, y cada vez que tiene algún dinero se compra un libro. Así ha reunido una pequeña biblioteca. Un día me dijo que me dejaría ir a su casa a verla. Debía estar de buen humor, porque jamás se trata con nadie si puede evitarlo. No juega con nadie y se queda en el banco, firme como una roca.

El maestro le dijo al darle la medalla: «Bravo, Estardo, quien trabaja, vence». Pero ni siquiera sonrió. Volvió al banco con la medalla y se puso a estudiar.

A la salida estaba esperándolo su padre, un carnicero, grueso y tosco como él, con voz de trueno. No se esperaba aquella medalla y fue preciso que el maestro le asegurase que la había ganado bien. Se echó a reír y le dio una palmada a su hijo en la cabeza. «Bravo, testarudo mío», le dijo. Y todos sonreían, menos Estardo, el cual rumiaba ya las lecciones del día siguiente.

ENERO

Miércoles, 4

El maestro no se encuentra bien. Desde hace tres días viene en su lugar un jovencito, sin barba, que más parece otro chico que otra cosa.

Tiene gran paciencia, pero, ya desde el primer momento, los chicos hacen mucho ruido y no lo respetan. Esta mañana se formó un barullo tan grande que no se le podía oír siquiera. Sólo se calmaban cuando llegaba el director y miraba desde la puerta.

Garrón y Deroso pedían a los compañeros que cesasen en su actitud, pero nadie les hacía caso. Estardo era el único que no se movía de su banco.

Los demás estaban como desatados. Era inútil que el maestro se dirigiera a uno u otro pidiéndoles que se estuvieran quietos, porque no lo conseguía. Ya no sabía qué hacer porque, como decía, no quería verse obligado a castigarlos.

Franti le tiró una flecha de papel. De pronto entró el bedel y le dijo al profesor que le llamaba el director. El maestro salió de la clase y el jaleo aumentó hasta límites tremendos. De pronto Garrón subió a la tarima descompuesto y apretando los puños, y gritó: «¡Acabad, brutos. Abusáis de él porque es bueno. Si os machacara algún hueso estaríais callados como perros. Sois una cuadrilla de cobardes!»

Todos callaron, porque temen a Garrón y saben que no amenaza en vano.

He ido a casa de Estardo, que vive enfrente de la escuela y he sentido verdadera envidia al ver su biblioteca. No puede comprar muchos libros porque no es rico, pero conserva todos los de la escuela y los que le regalan a sus padres. El padre le ha comprado un bonito estante, con cortinas verdes.

Incluso se ha hecho un catálogo, y combina muy bien los colores de los lomos. Es verdaderamente preciosa su biblioteca. Cuando adquiere un nuevo libro le da vueltas por todas partes. No piensa en otra cosa que en estudiar y en sus libros. Tiene los ojos malos de tanto leer.

Estando con él entró su padre, que es grueso y tosco como él. Me dijo con su vozarrón: «¿Qué piensas de este cabeza de hierro, eh? Llegará a ser algo, te lo aseguro.»

Yo no me atrevo a bromear con Estardo, por su seriedad. Comentándolo luego con mi padre, le dije que no me lo explicaba. «No es inteligente, carece de buenas maneras y sin embargo me infunde respeto». Mi padre respondió: «Es porque es un carácter.»

Yo lo aprecio.

Y también aprecio a Precusa, el hijo del herrero, pequeño, de grandes ojos tristes. El padre llega a casa borracho y le pega sin motivo, le tira los libros y los apuntes, y el pobre llega a la escuela con el rostro lívido, los ojos hinchados de llorar.

Pero nunca dice que el padre le pega, y cuando los compañeros se lo preguntan les responde que no. «Esta hoja, ¿la has quemado tú?», le pregunta el maestro y él responde que sí con voz temblorosa. «La he dejado caer en la lumbre sin querer.»

Vive en una buhardilla de nuestra casa, en la parte interior, y la portera se lo cuenta todo a mi madre. Mi hermana Silvia le oyó gritar un día que su padre le obligaba a bajar la escalera a saltos porque le había pedido dinero para comprar una gramática. Muchas veces llega a la escuela en ayunas y come a escondidas un pedazo de pan que le da Garrón. Pero jamás se le ha oído decir «tengo hambre».

Su padre le va a buscar a la escuela alguna vez, pálido, tambaleante, con la cara sombría y la gorra del revés. El chico tiembla cuando lo ve, pero luego corre a su encuentro. Él mismo recose sus cuadernos rotos y lleva alfileres en lugar de botones.

Y sin embargo se empeña en estudiar, y sería uno de los primeros si pudiera trabajar tranquilo en su casa. Esta mañana ha ido a clase con la señal de un golpe y los compañeros le dijeron que se lo había hecho su padre, y que se lo dijera al director, pero él se puso en pie con la cara muy encarnada y gritó que no, que su padre no le pegaba nunca. Pero luego le caían las lágrimas sobre el pupitre.

Jueves, 12

Hoy ha sido un jueves muy hermoso para mí. Han venido a casa Deroso y Coreta, con el jorobadito Nelle.

57

En la calle se habían encontrado con Grosi, el hijo de la verdulera, y les había dicho que su padre le había escrito desde América diciéndole que pronto regresaría.

Hemos pasado unos ratos muy divertidos. Coreta incluso preguntó a la cocinera cuánto le costaba la leña y habló de su padre, que como sabemos fue soldado en el regimiento 49 en Custoza, en la división del Príncipe Humberto. Deroso nos habló de la geografía de Italia. En tres horas se había aprendido unas cuantas páginas que deberá recitar en los funerales de Víctor Manuel, pasado mañana.

Cuando se marcharon, noté que en el cuarto de estar no estaba el cuadro que representa a Rigoletto, el bufón jorobado. Mi padre lo había quitado para que Nelle no lo viese.

Martes, 17

Hoy a las dos, el maestro llamó a Deroso, el cual se puso a su lado y, con voz sonora, comenzó: «Cuatro años hace que en este día y a esta hora llegaba delante del Panteón, en Roma, el coche fúnebre que llevaba el cadáver de Víctor Manuel II, primer rey de Italia, muerto tras de veintinueve años de reinado durante los cuales la gran patria italiana estaba despedazada en siete estados y oprimida por extranjeros y tiranos. Había obtenido la unidad, y la había hecho independiente y libre.

Llegaba el carro fúnebre después de haber recorrido toda Roma, bajo una lluvia de flores, entre el silencio de una inmensa multitud llegada desde todas las partes de la península.

Doce coraceros sacaron el féretro. Italia daba su último adiós a su rey, a su caudillo. Todos se inclinaron a un tiempo, como haciendo un saludo, las banderas de los nuevos regimientos y las viejas banderas rotas en Goito, Santa Lucía, Novata, Crimea, Palestro, San Martín y Castelfidardo. Cayeron ochenta velos negros, cien medallas chocaron contra el féretro, y miles de voces clamaron: "Adiós, buen rey. Vivirás en el corazón de tu pueblo mientras el sol alumbre a Italia." Después las banderas se levantaron de nuevo hacia el cielo...»

Sábado, 21

Solamente uno podía reírse mientras Deroso recitaba los funerales del rey, y Franti se rió. Es un malvado y lo aborrezco. Si riñen a alguien delante de él, goza con ello, y cuando alguien llora, eso es motivo de risa para él. Pega al «Albañilito» porque es pequeño, pero tiembla ante Garrón. Atormenta a Grosi porque tiene un brazo tullido y se burla de Precusa. Hasta se ríe de Roberto, que anda con muletas por haber salvado a un niño de un autobús.

Pincha con alfileres a los niños, se ríe del maestro y roba. Va siempre lleno de manchas, sucio, con las uñas roídas, y dicen que su madre está enferma a causa de los disgustos que le da, y que su padre le ha echado de casa tres veces.

Su madre va de vez en cuando a la escuela a pedir informes y se marcha llorando. Cuando el maestro le regaña se tapa la cara con las manos como si llorara, pero en realidad se está riendo. Lo expulsaron de la escuela por tres días, y cuando una vez Deroso le recriminó, amenazó con clavarle un clavo en el vientre.

Por fin, esta mañana lo han expulsado. Mientras el maestro daba a Garrón el borrador del cuento mensual a fin de que lo copiase, puso en el suelo un petardo que estalló como un cañonazo. Toda la clase se sobresaltó. El maestro se puso en pie y gritó: «Franti, ¡fuera de la escuela!»

Él respondió que no había sido, pero se reía. El maestro lo cogió de un brazo y, aunque se resistía, lo sacó a viva fuerza, y lo llevó al director.

Luego, cuando volvió, el maestro temblaba y decía en voz baja: «Treinta años, y jamás me había ocurrido nada parecido. Dios mío, haz que ese muchacho vuelva al buen camino.» Deroso le pidió que no se afligiera, porque todos los demás le queríamos mucho, y él, un poco tranquilizado, volvió a la lección.

El cuento de esta semana se llama:

EL PEQUEÑO TAMBORCILLO
SARDO

Corría la primera jornada de la batalla de Custoza, el 24 de junio de 1848, cuando sesenta soldados de un regimiento de infantería, enviados para ocupar una casa solitaria en una altura, se vieron atacados por dos compañías austríacas. Apenas les dio tiempo a nuestros hombres para encerrarse en la casa y tapiar la puerta, tras de haberse dejado algunos heridos y muertos en el campo.

Se colocaron en las ventanas y comenzaron a hacer fuego sobre los sitiadores, los cuales respondían con disparos certeros.

Mandaba los sesenta voluntarios un capitán viejo, alto y severo, y entre los soldados había un pequeño tamborcillo sardo, muchacho de ojos negros y mirada viva, de poco más de catorce años.

El capitán dirigía la defensa desde una ventana del piso alto, dando sus órdenes con voz tonante y seca. El tamborcillo, subido a una mesa, contemplaba por una ventana la batalla, pudiendo ver las blancas enseñas de los austríacos.

La casa estaba situada en un alto, con una cuesta a la cual sólo daba una ventana del cuarto piso de la casa. Por allí no podían atacar los austríacos. Pero éstos hacían un fuego infernal que rompía las paredes y causaba bajas en los italianos. En la cocina había ya un muerto y otros, heridos, se apoyaban en las paredes, desangrándose.

El cerco enemigo se estrechaba. Llegó un momento en que hasta el impasible capitán dio muestras de inquietud. Salió del cuarto seguido de un sargento, y volvió al cabo de unos minutos, llamando al tamborcillo. El muchacho le siguió por una escalera hasta la buhardilla, donde estaba el capitán escribiendo una nota.

Clavó los ojos en el muchacho y le dijo: «¿Tienes valor?»

—Sí, mi capitán.

—Mira allá abajo —dijo el oficial llevándole a la ventana—. En el suelo, junto a Villafranca, donde brillan bayonetas. Allí están los nuestros. Toma este papel, baja por esa cuerda, atraviesa la cuesta, llega hasta los nuestros y dale el papel al primer oficial que veas.

El tambor se quitó la mochila y el cinto y se metió el papel en el bolsillo. El sargento echó fuera la cuerda y ayudó al muchacho a salir.

—Ten cuidado —le dijo—. La salvación del destacamento está en tus manos.

—Confíe en mí, mi capitán.

A los pocos instantes el tamborcillo estaba en el suelo, y pronto desapareció. El capitán se asomó a la ventanilla y le vio correr cuesta abajo.

Pero no tardaron en verse nubecillas de polvo en el suelo, junto al tamborcillo, que corría desesperadamente. Eso quería decir que lo habían visto y que le disparaban. De pronto el tamborcillo cayó al suelo.

—¡Muerto! —dijo el capitán. Pero no había acabado de pronunciar la palabra, cuando vio levantarse al tamborcillo. No había sido más que una caída, al parecer.

Corría de nuevo el chico con todas sus fuerzas, pero cojeaba. «Se habrá torcido un tobillo», pensó el capitán. Las nubecillas de polvo ya estaban lejos de él. Estaba a salvo.

De todas las maneras, si no llegaba pronto con los socorros, el pelotón estaba perdido. El capitán animaba al tamborcillo con sus palabras, como si pudiera oírle. Le veía cojear y medía con la vista el espacio que lo separaba desde el punto en que estaba hasta donde se hallaban las tropas italianas.

Entre tanto los austríacos continuaban disparando sobre la casa y muchos de los soldados nuestros estaban ya heridos. «Adelante, adelante, chico», pensaba el capitán viendo al tamborcillo.

Un oficial subió para decirle que los enemigos solicitaban la rendición. «Que no se responda», ordenó, sin apartar la vista del muchacho, que ya había llegado a la llanura. «Anda, corre, corre. ¡No te detengas! ¡Desángrate, pero llega! ¡Ah, el holgazán se ha sentado!»

El muchacho, en efecto, del que unos instantes antes se veía la cabeza sobresalir entre los trigales, había desaparecido. Pero no tardó en ver de nuevo la cabeza. Y por fin se perdió de vista.

Sólo entonces bajó el capitán. Las balas llovían espesas y rápidas. Los cuartos estaban llenos de heridos, los cadáveres se amontonaban en los quicios de las puertas donde no estorbasen.

—¡Ánimo! —gritó el capitán—. ¡Van a llegar los refuerzos! ¡Un poco de valor aún, hijos míos!

Pero el fuego de los sitiados flojeaba, y el desánimo se podía leer en todos los rostros. Una voz de trueno gritó desde fuera:

—¡Rendíos!

—¡No! —aulló el capitán y ordenó que prosiguiera el fuego. Ya había más de una ventana sin defensores, y el momento fatal se aproximaba. Todo había sido inútil. «¡No vienen, no vienen!», decía el capitán, cuando de pronto un sargento descendió desde la buhardilla gritando como alucinado: «¡Ya llegan! ¡Ya llegan los nuestros!»

Hubo un ligero desorden entre los enemigos, que ya atacaban la puerta con la bayoneta calada. De pronto se oyó un ¡hurra! formidable y desde las ventanas vieron avanzar los sombreros puntiagudos de los carabineros italianos, y un escuadrón a galope tendido. Un brillante centelleo de espadas relumbró al sol y el capitán, con sus escasos efectivos, salió a la puerta para ayudar. Los enemigos vacilaron y por último se retiraron en desorden. Pronto el terreno quedó desocupado, y dos batallones italianos ocuparon la casa y la altura.

El capitán continuó el combate y fue herido ligeramente en una mano, pero la jornada terminó con la victoria italiana. Al día siguiente, sí, desgraciadamente, fueron vencidos por un número mayor de austríacos y hubieron de retirarse.

El capitán fue hacia la iglesia donde se había instalado el hospital de sangre. La gran sala estaba llena de colchones extendidos en el suelo, y los médicos iban y venían muy atareados.

Apenas entró el capitán, una voz dijo: «Mi capitán».

Se volvió y vio al tamborcillo. Estaba tendido sobre un catre de madera, y cubierto hasta el pecho por una manta. Estaba pálido, pero los ojos le brillaban como ascuas.

—Bravo, cumpliste con tu deber, muchacho —dijo el oficial.

—Hice lo posible.

—¿Estás herido?

—¿Qué quiere usted, mi capitán? Corrí mucho con la cabeza baja pero aun así me vieron. Hubiera llegado mucho antes si no. Pero encontré a un oficial y le di el mensaje. He hecho lo que he podido, señor. Pero, mi capitán, está usted herido, pierde sangre. ¿Quiere que le apriete la venda?

El capitán le extendió la mano, para ayudarle, pero vio cómo la cara del chiquillo se contraía de dolor y volvía a dejar caer la cabeza hacia atrás.

—Basta —ordenó el capitán—. Cuídate tú en vez de pensar en los demás. Debes haber perdido mucha sangre.

—Algo más que sangre, mi capitán. Mire.

Apartó la manta y el capitán se echó atrás, horrorizado. Al muchacho le habían amputado la pierna izquierda por encima de la rodilla. El muñón estaba vendado con trapos sangrientos.

En aquel momento pasó un médico militar.

—Ah, mi capitán —dijo señalando al tamborcillo—. Un caso desgraciado. Esa pierna hubiera podido salvarse, si el niño no la hubiese forzado tanto al correr. Fue necesario cortarla o se gangrenaría. Es un valiente, se lo aseguro. No ha derramado una lágrima y ni se ha quejado. Cuando lo operé me sentí orgulloso de ser un italiano.

El capitán arrugó las cejas y luego subió la manta. Después, lentamente, se llevó la mano al quepis y se lo quitó.

—¡Mi capitán! —exclamó el sardo—. ¿Qué hace, mi capitán?

Y aquel tosco soldado al que nadie le había oído nunca una palabra amable, respondió con voz emocionada:

—Yo no soy más que un capitán. ¡Tú, eres un héroe!

Miércoles, 25

El que ha hecho la mejor composición sobre la patria ha sido también Deroso. Y Votino, que creía seguro el primer premio... ¡Yo quería mucho a Votino, pero ahora que veo cómo envidia a Deroso, me molesta. Estudia para competir con él, pero el otro le da cien vueltas en todo.

Esta mañana ha sucedido algo desagradable. Cuando el maestro anunció el resultado de los exámenes, con un diez para Deroso, fabricó una medalla con papel pintado, dispuesto a dársela a Votino, por envidioso, pero Deroso lo impidió. Votino había escrito en un papel: «Yo no tengo envidia de los que ganan la primera medalla por favor y con injusticia», pero no pudo dársela a Deroso, porque ya volvía el maestro que había salido unos instantes. Luego, el papel se le cayó y Deroso lo recogió y se lo devolvió. Votino estaba rojo de vergüenza y de envidia.

Sábado, 28

La madre de Franti ha estado en la escuela. Se echó de rodillas ante el director para pedirle por favor que readmitiese a su hijo. Dijo que el padre no lo sabía aún y que si se enteraba lo mataría a palos.

El director quiso ponerla en pie, pero ella continuaba llorando, pidiendo por su hijo, y asegurando que sería bueno de ahora en adelante. Por último el director le dijo a Franti que volviera a su sitio y la madre partió dando las gracias, muy aliviada.

Y cuando todos estábamos emocionados, miramos a Franti, y ¡el muy infame se sonreía!

FEBRERO

Esta mañana vino el inspector de escuelas para entregar los premios. Dio la primera medalla a Deroso, y luego charló en voz baja con el director y el maestro. Todos nos preguntábamos que a quién le darían la segunda.

Por fin el inspector dijo que la segunda medalla era para el alumno Precusa, por su caligrafía, los trabajos hechos en casa y su conducta.

Precusa se aturdió tanto que no sabía ni dónde se hallaba. Fue a la tarima, todo confuso, con su ropa remendada y su carita pálida. El inspector le dijo que se había ganado la medalla, no sólo por sus méritos sino también por su buena voluntad. Y terminó con un «Dios te proteja».

A la salida, ¿quién diréis que estaba allí? El padre de Precusa, el herrero, con su mirada torva, los pelos hasta los ojos y tambaleándose. El maestro dijo unas palabras al inspector, y éste cogió la mano de Precusa y lo llevó hasta su padre. «Mire, ha ganado la segunda medalla, que le ha sido concedida entre cincuenta y cuatro compañeros. Puede usted estar orgulloso de él, se lo aseguro.»

El herrero le escuchó con la boca abierta, mirándolo fijamente. Luego miró a su hijo, que estaba con los ojos bajos y temblando. Pareció que por un instante pasaba ante sus ojos todo lo que le había hecho padecer y por fin, con una ternura violenta y triste, lo estrechó contra su pecho. Todos pasamos junto a ellos y yo le invité a ir a mi casa el jueves con Garrón y Grosi. El padre nos miraba atontado, siempre agarrado a su hijo, que lloraba.

Domingo, 5

La medalla concedida a Precusa ha despertado en mí algunos remordimientos. Yo aún no he ganado ninguna, y mi maestro y mis padres no están muy conformes conmigo. Hay una vocecilla dentro de mí que me dice: «Eso no marcha.»

Bien veo que mi padre está de mal humor, él que tanto trabaja. Pero yo quiero comenzar desde hoy como Estardo, apretando los puños. Ánimo y al trabajo, me digo. Al trabajo que me traerá de nuevo la sonrisa de mi maestro y el cariño de mis padres.

Viernes, 10

Precusa vino ayer a mi casa, con Garrón. Grosi no vino porque al fin había llegado su padre de América. Garrón nunca había estado en casa, porque le avergüenza ser tan grande y estar todavía en tercero.

Saqué todos mis juguetes y Precusa quedó encantado a la vista del tren: le di la llave para que lo moviese y ya no volvió a levantar la cabeza, e incluso nos apartaba las manos cuando íbamos a detener los vagones o la máquina. Todos mirábamos su cuellecito como un hilo, la chaqueta con las bocamangas vueltas porque le estaba demasiado grande, y sus bracitos de enfermo. En aquel momento le hubiera regalado todos mis juguetes. En aquel momento sentí que me ponían un papelito en la mano. Estaba escrito por la mano de mi padre y en él me decía: «A Precusa le gusta mucho tu tren. Él no tiene juguetes. ¿Por qué no se lo regalas?»

Cogí la máquina y los vagones y se los entregué.

—Son tuyos, te los regalo.

—¿Por qué?

—Porque —terció mi padre— Enrique es amigo tuyo.

Precusa preguntó, aún atontado, si lo podía llevar a su casa y le dijimos que sí. Garrón le ayudó a envolverlo, y Precusa me dijo que un día tenía que ir al taller de su padre, y me regalaría unos clavos.

Sábado, 11

Y pensar que Nobis se limpia la manga cuando Precusa le toca... Es un soberbio, y todo porque su padre es rico. Quisiera tener un banco para él solo, y siempre amenaza con hacer venir a su padre a la escuela si alguien lo molesta. A pesar de que su mismo padre le echó una buena reprimenda cuando lo del hijo del carbonero. Un día, Coreta le dijo: «Vete con Deroso para aprender buena educación.»

El maestro le ha echado una buena bronca, hablándole de la igualdad, pero él ha escuchado con la misma cara despreciativo. «Te compadezco, le dijo el maestro. Eres un muchacho sin corazón.»

Lunes, 13

Nobis puede hacer buena pareja con Franti. Ni uno ni otro se conmovieron por lo que ocurrió esta mañana ante nuestros propios ojos.

Estaba yo con mi padre viendo cómo unos niños se deslizaban por el hielo sobre sus carteras cuando vimos un grupo de gente que venía hablando, serios y asustados. Luego unos guardias municipales y otros hombres que llevaban una camilla. En la camilla, un hombre herido, con el cabello lleno de sangre. Una mujer con un niño en brazos gritaba enloquecida que su marido estaba muerto.

Mi padre preguntó qué había ocurrido y dijeron que un pobre albañil había caído desde un cuarto piso. A mi lado, alguien me tocó con el codo: era el «Albañilito», que, lívido, contemplaba la escena.

Por lo menos, yo sé que mi padre no está expuesto a esos accidentes, pero comprendí lo que pasaba por la mente del «Albañilito» y mi padre lo mismo, porque le dijo que se fuera a casa, con sus padres.

En esto oímos a alguien que dice: «Pero, ¿te ríes, infame?» Miramos y vimos a Franti, que seguía sonriendo. El hombre le tiró la gorra al suelo de un puñetazo y le dijo: «Descúbrete cuando pasa un herido del trabajo.»

Viernes, 17

He aquí el suceso más extraño del año. Mi padre me llevó a Moncalieri para ver una casa en la que pasaríamos el verano. El maestro del pueblo era el que tenía las llaves, porque también es administrador de fincas. Nos hizo ver la casa y luego nos llevó a su despacho. En medio de la mesa había un tintero de madera, tallado, muy bonito. Como mi padre miraba el objeto, el maestro le dijo: «Es algo que tengo en mucho aprecio. ¿Desea usted oir la historia?» Mi padre dijo que sí y él nos la contó. Es como sigue:

Siendo maestro de Turín, fue a dar clase a los presos. Lo hacían en la iglesia. Uno de los presos, el 78, estudiaba mucho y miraba siempre al maestro con ojos de gratitud. Era un desgraciado más que criminal, que en un momento de cólera había tirado un cepillo a su jefe en la carpintería y lo había matado. Estaba condenado a varios años de carcel.

Aprendió a leer en tres meses. Un día le dijo al maestro que al día siguiente se marchaba, se lo llevaban a Venecia para seguir su condena. El maestro le alargó la mano y él se la besó. No lo había vuelto a ver más. Pasaron seis años, y una mañana, hacía dos días, vio llegar a un hombre, con gran barba negra y pelo entrecano, que le preguntó si él era el maestro que dio clase en la carcel de Turín. El maestro le respondió que sí.

—Yo soy el preso 78 —respondió el otro—. Y he venido para pedirle que acepte un recuerdo de aquel a quien usted enseñó a leer y a escribir y a quien dio la mano. Ya he cumplido mi condena. ¿Quiere aceptarlo?

El maestro recogió lo que el otro le entregaba. Era un

71

tintero de madera labrada y tenía encima tallada una pluma y un cuaderno. Decía una inscripción: «A mi maestro, en recuerdo del número 78».

Mi padre y yo volvimos a casa. Al día siguiente, en clase, le conté a Deroso la historia. Deroso se sobresaltó al oír que el preso había estado seis años en la carcel y miró de pronto a Grosi, el hijo de la verdulera, que estaba sentado en el banco de delante.

—Silencio —me dijo Deroso en voz baja—. Hace dos días me dijo Grosi que había visto un tintero como ese en manos de su padre, que ha vuelto de América. Lo comprendes, ¿verdad? No ha estado en América, sino en la cárcel.

Deroso resolvió el problema de aritmética y se lo pasó a Grosi. Luego le pidió que le dejara copiarle el cuento mensual, que el maestro había encargado a Grosi. Cuando salimos vimos que había ido a esperar a Grosi un hombre alto, de gran barba negra.

El cuento de este mes se llama:

EL ENFERMERO DEL CHACHO

En una mañana de marzo se presentó al portero del Hospital Mayor de Nápoles un muchachito vestido de campesino, con un envoltorio de ropa bajo el brazo, para preguntar por su padre. Tenía la cara morena, gruesos labios y ojos apesadumbrados. Venía de un pueblo de los alrededores de la ciudad. Su padre, que había salido del pueblo el año anterior para ir a trabajar a Francia, había vuelto hacía unos días y desembarcó en Nápoles, donde enfermó tan súbitamente que apenas tuvo tiempo de escribir cuatro palabras comunicándoselo a su familia. Su mujer, imposibilitada de ir, ya que tenía una niña enferma y otra de pecho, había mandado al hijo mayor con un poco de dinero para asistir al padre. El niño había andado veinte kilómetros para llegar.

El portero, leyendo la carta, llamó a un enfermero. Éste preguntó al niño cómo se llamaba su padre, y éste se lo dijo, temiendo una desgracia.

El enfermero no recordaba el nombre. «¿Es un trabajador viejo?», preguntó. «Viejo, no, pero trabajador sí», respondió el pequeño. Y entró en el hospital hace cinco días.

El enfermero pareció recordar.

—En la sala cuarta, la cama del fondo.

—¿Está muy enfermo? —preguntó el niño. El enfermero no respondió sino que le dijo que fuera con él.

El muchacho lo siguió, mirando asustado las filas de enfermos. El aire estaba impregnado del fuerte olor de los medicamentos.

Llegaron al fondo de la sala y se detuvieron a la cabecera de una cama. Descorrió el enfermero las cortinas y le dijo: «Ahí tienes a tu padre.»

El niño rompió a llorar, dejó en tierra la ropa y se reclinó sobre el enfermo, el cual apenas si pareció darse cuenta de nada. Luego, por fin, el enfermo lo miró y pareció reconocerlo, pero sus labios no se movieron. Pobre Chacho, qué cambiado estaba. Tenía los cabellos blancos y crecida la barba, la cara hinchada y de color rojo, y toda la fisionomía hinchada. Respiraba angustiosamente.

—¡Chacho, Chacho! Soy yo, ¿no me reconoces? Soy tu hijo Cecilio, que ha venido del pueblo para verte.

El enfermo, después de mirarlo, cerró los ojos pero nada dijo.

El muchacho, llorando, tomó una silla y se sentó al lado del enfermo, esperando a que pasara un médico, y sin quitar los ojos de su padre. Recordaba a su padre cuando se marchó a Francia, y las esperanzas que la familia había depositado en aquel viaje. Veía que su padre moría, o al menos así le parecía a él. Una mano ligera le tocó en el hombro. Era una monja.

—¿Qué tiene mi padre? —preguntó Cecilio.

—Ánimo, muchacho, ahora vendrá el médico.

Al cabo de media hora se oyó una campanilla y apareció el médico, seguido de sus ayudantes y de la monja. Comenzó la visita, y al muchacho le parecía que tardaba siglos hasta llegar a la cama de su padre.

Llegó, finalmente. Era un hombre alto, de rostro grave. El muchacho se le acercó, llorando. La monja le dijo al médico que era el hijo del enfermo y que había llegado del pueblo.

El médico le tomó el pulso al enfermo e hizo algunas preguntas a las hermanas. Quedó pensativo: «Que siga como hasta ahora con el tratamiento», dijo.

—El chico tuvo valor para preguntarle: ¿Qué tiene mi padre?

—Ten valor, muchacho —respondió el médico, poniéndole una mano sobre el hombro—. Tiene una erisipela facial. Es grave, pero todavía hay esperanzas. Quédate con él. Tu presencia le puede ser beneficiosa.

—¡Pero sí no me reconoce!

—Te reconocerá mañana... quizá. Ten ánimo.

El muchacho no preguntó más, aunque hubiera querido hacer muchas preguntas, pero no se atrevió. Y comenzó su vida de enfermero. Le arreglaba las ropas de la cama, tocaba su mano, le espantaba los mosquitos y cuando la hermana le traía de beber, le cogía el vaso y la cucharilla para dárselo con su propia mano. El enfermo lo miraba alguna vez que otra, pero sin dar siquiera señales de reconocerlo. Pero cada vez lo miraba más.

Pasó el primer día y el muchacho durmió sobre dos sillas, y a la siguiente mañana reemprendió su tarea. Ese día los ojos del enfermo parecieron recobrar un poco de conciencia. La cariñosa voz del chiquillo hacía brillar vagamente sus pupilas y en cierta ocasión movió los labios como si quisiera decir alguna cosa.

Después de cada período de somnolencia buscaba con los ojos a su enfermero. El médico lo había visitado dos veces y notó alguna mejoría. Hacia la tarde, Cecilio le pareció notar una vaga sonrisa, un asomo de sonrisa, mejor, en sus labios hinchados. Cecilio se animó y comenzó a tener alguna esperanza.

De esta manera pasaron cuatro días, con alternativas de mejorías y retrocesos imprevistos. El muchacho no tomaba más que algunos bocados de pan con queso que dos veces al día y caritativamente le llevaba la hermana.

Pasaron las horas, los días, y él siempre al lado de su Chacho, atento y ansioso. Al quinto día el enfermo se puso peor de repente y el médico movió la cabeza como dando a entender que la cosa no tenía ya remedio. El muchacho comenzó a llorar. A pesar de que se veía perfectamente que estaba peor, le pareció que el enfermo tenía algo de conocimiento. Forzaba los labios como si quisiera pronunciar alguna palabra, y el niño lo animaba con palabras y frases: «Ánimo, chacho, te curarás y nos iremos a casa pronto», le decía.

Hacia las tres de la tarde se abrió la puerta de la sala, se oyó ruido de pasos y luego una fuerte voz: «Hasta luego, hermana», que le hizo saltar de la silla a Cecilio. Una exclamación se ahogó en su garganta.

Entró en la sala un hombre con un gran paquete, seguido por una monja.

Cecilio lanzó un grito y quedó aturdido, sin poderse mover. El hombre se volvió, lo miró y gritó a su vez: «¡Cecilio!» Éste cayó en los brazos de su padre. Enfermeros y monjas acudieron, llenos de asombro.

El chico apenas podía hablar.

—Pero, ¿cómo es esto, hijo mío? ¿Cómo es que te han llevado a otro enfermo? Y yo desesperado después de que tu madre me escribió que te enviaba a verme. ¿Cuántos días llevas aquí? Pero, ¿cómo ha ocurrido esta confusión?

El muchacho sólo pudo balbuir algunas noticias sobre la familia.

—Vámonos —dijo el padre—. Aún podremos llegar al pueblo esta tarde.

Cecilio se volvió a mirar al enfermo.

—Pero, ¿vienes o no, muchacho? —preguntó el padre.

—No, Chacho, espera... no puedo. Mira a ese hombre. Hace cinco días que estoy con él, porque creía que eras tú. Me mira, y quiere que esté a su lado. Ten paciencia, no tengo valor . ¿Ves cómo me mira? No sé quién es, pero me necesita y no puedo dejarle solo.

—¡Bravo, muchacho! —gritaron los enfermeros.

El padre lo miraba perplejo. Luego preguntó que quién era.

—Un campesino, como usted, que ha venido de fuera —dijo el practicante—. Entró en el hospital el mismo día que usted. Venía sin sentido y no pudo decir ni su nombre. Quizá tenga familia, pero no lo sabemos.

—Quédate, chiquitín —dijo el padre.

—No será por mucho tiempo —respondió el practicante—. Está en las últimas.

—Quédate, hijo mío. Tienes corazón. Yo me voy para tranquilizar a tu madre. Ahí tienes algo de dinero por si lo necesitas.

Y el niño volvió junto al enfermo, que pareció consolado. Cada vez se le veía peor. Su cara tenía un color violáceo y su respiración se hacía más angustiosa. En la visita de la tarde el médico dijo que no pasaría de aquella noche.

En efecto, a la madrugada, el practicante llegó y luego salió precipitadamente en busca del médico de guardia. Cecilio cogió la mano del moribundo y éste se la apretó.

—Se acabó —dijo el médico.

—Vete, hijo mío —dijo la monja—. Tu misión ha concluido. Y ojalá tengas fortuna porque bien te la mereces.

Y le entregó un ramito de violetas que había en un vaso.

—Es lo único que puedo darte en recuerdo del hospital.

El niño las puso sobre el lecho del muerto.

—Tengo que hacer un camino tan largo a pie que se marchitarían y sería una lástima. Adiós... y adiós a ti, Chacho.

Y con paso lento salió de la sala.

Sábado, 18

Ayer vino Precusa para llevarme al taller de su padre. Fui con el mío, que se detuvo también unos instantes.

Encima de un montón de ladrillos está Precusa estudiando. El padre estaba en el yunque y un aprendiz tenía ante él una barra de hierro al rojo.

—He aquí el muchacho que regala ferrocarriles —dijo el hombrón quitándose la gorra—. Has venido a vernos trabajar un ratito ¿eh?

Y en efecto, pronto vi que de aquella barra formaba una voluta. El hierro se encorvaba, se retorcía y poco a poco tomaba la forma de una hoja. El hijo lo miraba orgulloso.

—Muy bien hecho —dijo mi padre admirando su labor—. Veo con placer que ha vuelto usted a... su labor.

—He vuelto, sí. ¿Y sabe quién me ha hecho volver? Ese guapo muchacho que ahí lee su libro. Un muchacho que defendía a su padre, yo lo sé, mientras su padre se emborrachaba y le pegaba. ¡Ven aquí a darme un beso, cañamón!

Los dejamos mientras Precusa, alegremente, besaba al hombrón. Mi padre iba muy serio, aunque yo notaba que estaba muy satisfecho.

Lunes, 20

El carnaval toca a su término, pero ha llegado un circo. Una pequeña compañía veneciana con cinco caballos.

Hay una mujer que cuida a un niño de pecho, mientras hace la comida y baila en la cuerda. Se les llama saltimbanquis, despectivamente, pero trabajan mucho y ganan su pan entreteniendo a los demás.

Mi padre ha reconocido a uno de los niños. Es el mismo hijo del dueño que el año pasado vimos hacer ejercicios en la plaza de Víctor Manuel. Tiene unos ocho años y una carita de pillete. Está vestido de payasito y hace de todo. Lleva la leche muy temprano por la mañana, va a buscar a los caballos que están en una cuadra, limpia los carros, transporta barras de hierro. Cualquier cosa, en suma. Mi padre lo mira mucho, desde la ventana.

Una noche fuimos al circo, que estaba casi vacío, porque hacía mucho frío. El payaso hizo muchas cabriolas, y su padre, vestido con una chaqueta roja, lo miraba tristemente. Apenas debían haber hecho recaudación.

Mi padre habló con el pintor Delis, que vino a vernos. El pintor le dijo a mi padre que, puesto que él sabe escribir, hiciera un buen artículo para el periódico. «Yo haré el retrato del payasito. Tal vez entonces concurra la gente.»

Así se hizo. Mi padre escribió un maravilloso artículo, en el que decía todo lo que veíamos desde las ventanas, y el pintor hizo el retrato. Ambas cosas aparecieron el sábado por la tarde.

A la representación del domingo acudió una enorme cantidad de gente. Todo el mundo quería ver al payasín, como se le llamaba en el artículo.

Mi padre y yo nos sentamos. Había mucha gente conocida entre los espectadores. El payasín hizo su trabajo muy alegre, en el caballo, sobre el trapecio y en la cuerda. En ese momento vi que el maestro de Gimnasia del colegio le decía unas palabras al dueño del circo, el cual miró hacia nosotros. Mi padre se dio cuenta de que le habían dicho que era el autor del artículo, y para evitar que se sintiera obligado a darle las gracias, me dejó diciéndome que me esperaba fuera.

Por último, después de la función, el payasín comenzó a pasar la gorra, como se hace en estos casos, y todos le echaron dinero o dulces. Pero cuando llegó frente a mí, pasó de largo, lo cual me molestó, porque lo consideré un desprecio.

Nos levantamos y nos marchábamos ya cuando el payasín se me acercó, y me tocó la mano con la suya.

Me volví. Tenía las manos llenas de dulces.

—Si quieres aceptarlos —me dijo—. Por favor.

Cogí tres o cuatro.

—¿Me dejarías abrazarte? —me preguntó. Y yo consentí con mucho gusto.

Sábado, 25

Ayer fui a ver al profesor, que está enfermo. El trabajo excesivo le ha hecho perder la salud. Cinco horas de clase al día, una hora de gimnasia y otras dos horas de clase nocturna para adultos, significa que duerme muy poco, come muy aprisa y ha arruinado su salud. Me lo explicó mi madre, que se quedó abajo mientras yo subía para verlo.

La criada me hizo entrar en una habitación pobre, medio a oscuras. En una cama estaba mi maestro, con la barba crecida. Se puso la mano en la frente para ver mejor, y dijo: «¡Eres Enrique! Has hecho bien en venir a ver a tu pobre maestro. Estoy en muy mal estado, como ves, querido Enrique. Y, ¿cómo anda la escuela? ¿Qué tal los compañeros? Todo va bien sin mí, ¿no es cierto? Bueno, bueno, ya sé que no me queréis mal.»

Yo miraba unas fotografías colocadas en las paredes.

—Son las de alumnos míos que han venido dándome-
las desde hace veinte años. Cuando me muera, la última
mirada la dirigiré a ellos, entre los cuales ha pasado mi
vida entera.

Me ofreció una naranja. Luego me dijo que esperaba
ponerse bien, pero que, si por desgracia no se curase, yo
cuidara mi aritmética, que era mi punto flaco. Respiraba
fuerte y se veía que sufría.

Me besó en los cabellos, para lo cual hube de inclinar
la cabeza, y luego me despedí de él muy triste.

MARZO

Jueves, 2

Ayer me llevó mi padre a ver las clases de adultos de la Escuela Bereti, que es la nuestra. Los obreros comenzaban a llegar. Al llegar nos encontramos al director y a los maestros disgustados porque hacía poco habían roto los cristales de una ventana. El bedel había atrapado a un muchacho que pasaba por la calle, pero en el mismo momento se presentó Estardo, que vive frente a la escuela, diciendo:

—Ese chico no ha sido. Yo mismo he visto con mis propios ojos lo que ha ocurrido. Ha sido Franti el que ha tirado la piedra, y me ha dicho: «Ay de ti si hablas», pero yo no le tengo miedo.

El director dijo que Franti sería expulsado definitivamente de la escuela. En ese momento ya habían llegado de dos en dos y de tres en tres los obreros. Nunca había visto yo lo hermosa que es una escuela de adultos. Allí había muchachos de doce y trece años y hombres con barba que volvían del trabajo, con sus libros y cuadernos bajo el brazo. Carpinteros, fumistas, fogoneros de cara negra, albañiles blancos de cal, mozos de panadería con el cabello enharinado...

Se olía a pez, a cuero, a aceite, a todos los olores imaginables. También llegó un grupo de obreros de la Maestranza de Artillería, de uniforme, con un cabo al frente.

Todos se sentaban en sus bancos e inmediatamente inclinaban la cabeza sobre los libros. Otros iban a pedir explicaciones a los profesores. El maestro ese, al que llamamos «El Abogadillo», tenía tres o cuatro alrededor de su mesa y hacía correcciones con la pluma. Mi maestro, ya curado, también estaba allí. Mañana volveré a la escuela.

Me quedé admirado cuando vi la atención que ponían todos en las lecciones. Y sin embargo, la mayor parte de ellos, por no tener tiempo, ni siquiera habían comido un bocado y tenían hambre.

Los pequeños al cabo de media hora se caían de sueño. El maestro les hacía cosquillas con una pluma para que despertaran. Los mayores no, esos estaban bien despiertos y causaba admiración ver aquellos rostros barbudos. Mi sitio estaba ocupado por un hombre de grandes bigotes que llevaba una mano vendada porque se había herido con alguna herramienta y que sin embargo se las ingeniaba para escribir, aunque muy despacio. Lo que más me gustó fue ver que precisamente en el mismo rincón y en el mismo banco donde se sienta el «Albañilito», estaba ahora colocado su padre, ese albañil grande como un gigante que apenas cabía en el sitio, con los ojos fijos en el libro con una atención tan intensa que no se le sentía ni respirar apenas. Y no era por casualidad, porque precisamente el mismo día que comenzó su asistencia a la escuela le dijo al director: «Póngame por favor en el mismo lugar en que se sienta mi carita de liebre.»

Estuvimos en la escuela hasta que acabaron las clases, y cuando salimos vimos muchas mujeres, con los niños abrazados al cuello, que esperaban. y en cuanto salían hacían el cambio: los obreros cogían a los pequeñuelos, las mujeres tomaban los libros y se marchaban a sus casas con la satisfacción del deber cumplido.

Domingo, 5

Era de esperar. Franti, expulsado por el director, quiso vengarse y aguardó a Estardo en una esquina, a la salida de la escuela, por donde había de pasar con su hermana, a quien todos los días va a buscar a un colegio de la calle Dora Grosa. Mi hermana Silvia, al salir de clase, lo vio todo y volvió a casa muy asustada.

He aquí lo que ocurrió: Franti, con su gorra lustrosa de hule, caída sobre una oreja, corrió de puntillas hasta alcanzar a Estardo y para provocarle dio un tirón a la trenza de la hermana, con tanta fuerza que casi la tiró al suelo.

La muchacha lanzó un chillido. Su hermano se volvió. Franti, que es mucho más alto y fuerte que Estardo, pensaba: «O se aguanta o le doy una paliza.» Pero Estardo no se detuvo a pensarlo y, a pesar de ser más pequeño y débil, se lanzó de un salto sobre el grandullón y lo molió a puñetazos, pero no podía con él y recibía más de lo que daba.

Nadie podía separarlos porque a esa hora apenas pasaban por la calle algunas niñas.

Franti le tiró al suelo, pero él enseguida se puso en pie y volvió a enfrentarse a su agresor, que le golpeaba como quien golpea una puerta. En un momento le amorató un ojo y le cortó medio oreja, pero Estardo no cedía y decía: «Me matarás, pero te las he de hacer pagar.»

Franti le daba puntapiés y puñetazos. Estardo se defendía como podía. Una mujer gritó desde la ventana: «Duro con él.» Otros decían: «Es un muchacho que defiende a su hermana, dale con fuerza», y a Franti le gritaban que era un cobarde porque se metía con un pequeño. Por fin Franti cayó encima, agarró a Estardo por la cintura y lo tiró violentamente sobre el empedrado, poniéndole una rodilla en el pecho.

—¡Cuidado, tiene una navaja! —gritó un hombre que corría para detener a Franti. Pero ya Estardo, fuera de sí, le había cogido el brazo con las dos manos y dándole un fuerte mordisco le obligó a dejar la navaja. La mano le sangraba.

Acudió más gente, los separaron y levantaron. Franti echó a correr malparado y Estardo permaneció en pie, con la cara arañada y un ojo magullado, al lado de su hermana, que lloraba mientras otras niñas recogían los cuadernos y los libros desparramados por el suelo.

—¡Bravo por el pequeño! —decían a su alrededor. Bien ha sabido defender a su hermana.

Lunes, 6

Esta mañana estaba el corpulento padre de Estardo esperando a su hijo temiendo que se encontrara con Franti de nuevo, pero dicen que Franti ya no volverá más, porque lo van a meter en un reformatorio. Había muchos padres en esta mañana. Entre otros, el vendedor de leña, padre de Coreta, que es el mismo retrato de su hijo. Ya conozco a casi todos los padres de mis condiscípulos.

Hay una abuela que, aunque llueva o nieve, viene siempre cuatro veces al día a traer y llevarse a su nietecito de la primaria superior. Le quita el capote, se lo vuelve a poner a la salida, le arregla la corbata, le mira los cuadernos... Se ve que no encuentra nada más hermoso en el mundo que su niñito.

Viene también el capitán de Artillería, padre de Roberto, el niño de las muletas que salvó a otro niño de morir atropellado por un autobús, y todos los chicos le saludan y él no se olvida de devolver el saludo.

A veces se ven cosas tristes: un señor que no venía ya porque se le había muerto un hijo y mandaba a la portera a recoger a otro, vino ayer por primera vez y al ver la clase y los compañeros de su hijo, se metió en un rincón y prorrumpió en sollozos. El director lo cogió por el brazo y lo llevó a su despacho.

Hay padres y madres que conocen por su nombre a todos los compañeros de sus hijos, muchachas de la escuela inmediata y alumnos del instituto que vienen a esperar a sus hermanos. Suele venir también un señor ya viejo, que fue coronel. Y cuando algún chico deja caer un libro o un cuaderno en la calle, él mismo se lo recoge.

No faltan tampoco señoras elegantes que hablan de cosas de la escuela con mujeres de pañuelo y cesta al brazo, diciendo: «¡Ah, esta vez ha sido muy difícil el problema!»

Si hay un enfermo en una clase, todos lo saben y cuando está mejor, se alegran. La escuela es como un lazo que nos une a todos.

Miércoles, 8

Ayer tarde presencié una escena conmovedora. Hacía varios días que la verdulera, la madre de Grosi, siempre que Deroso pasaba junto a ella, lo miraba con expresión de gran afecto, porque Deroso, tras de hacer el descubrimiento del tintero del preso número 78, ha tomado cariño a Grosi, el de los cabellos rojos y el brazo paralítico. Le ayuda en los trabajos, le indica las respuestas y le da papel y lápiz. En suma, lo trata como a un hermano. Parecía que la verdulera quería decirle algo, pero no se atrevía.

Por último, ayer por la mañana se armó y le detuvo:

—Dispénseme, joven. Usted parece tenerle gran afecto a mi hijo, hágame el favor de aceptar este recuerdo de una pobre madre.

Y sacó una cajita de cartón dorada y blanca de su cesto. Deroso se puso muy colorado y lo rechazó, amablemente pero con firmeza. «No, señora, no puedo aceptar nada.» La mujer quedó contrariada y pidió perdón: «No quería ofenderle. Pero no son sino unos dulces.» Deroso lo rechazó de nuevo diciendo que no podía aceptarlo, pero que seguiría ayudando a Grosi. «Pero, al menos, no se ha ofendido usted conmigo, "¿verdad?".» «No, señora, claro que no.» Y se fue, mientras ella le contemplaba con mucho afecto.

Todo parecía concluido, pero por la tarde, a las cuatro, el que estaba allí era el padre de Grosi, con su cara mortecina y melancólica. Detuvo a Deroso y le dijo:

—Usted quiere mucho a mi hijo, ¿por qué lo quiere tanto?

Deroso volvió a ponerse muy encarnado. Hubiera querido sin duda responder: «Lo quiero tanto porque ha sido muy desgraciado, como usted, que ha sido más desgraciado que culpable y ha expiado noblemente su delito.» Pero no tuvo fuerzas para hacerlo, porque en el fondo sentía temor ante un hombre que había matado a otro. Éste lo adivinó todo y bajando la voz dijo: «Usted quiere bien a mi hijo, pero a mí ¿me quiere mal? No, ¿verdad?»

—¡Oh, no, claro que no! —respondió Deroso con un arranque que le salió de muy adentro.

Lunes, 13

El niño que vive en el patio de la verdulera, y que pertenece a la primera sección, como mi hermano, ha muerto. La maestra Delcato vino el sábado por la tarde llena de pena a dar la noticia al maestro. Inmediatamente Garrón y Coreta se ofrecieron para llevar el ataúd. Era un niño excelente: la semana anterior había ganado una medalla, quería mucho a mi hermano y le había regalado una hucha rota. Mi madre le hacía caricias siempre que se le encontraba.

Ayer tarde a las cuatro y media fuimos a su casa para acompañarle a la iglesia. Viven en el piso bajo. Ya había en el patio muchos niños de su sección, con sus madres y cinco o seis maestras y algunos vecinos.

La maestra de la pluma azul y la Delcato habían entrado y vimos por la ventana que estaban llorando, junto a la madre del niño. Habían llegado varias guirnaldas de flores de madres de otros chicos. A las cinco nos pusimos en camino. Delante iba un muchacho que llevaba la cruz, luego el sacerdote y detrás la caja, una caja muy pequeña. A un lado del paño habían prendido la medalla y tres menciones que el niño había ganado ese año. Conducían el ataúd Garrón, Coreta y dos vecinitos del chico difunto.

Detrás del ataúd venía la maestra Delcato, que lloraba como si el chico fuese suyo, y luego los muchachos, entre los que había algunos muy pequeños, con ramitos de violeta en las manos. Oí que uno de ellos preguntaba: «Y ahora, ¿no vendrá más a la escuela?»

Cuando la caja salió del patio, un grito desesperado salió de la casa. Era la madre del niño, a la que hicieron retirarse enseguida. En la calle encontramos a los muchachos de un colegio que iban de dos en dos y que al ver el féretro se quitaron todos las gorras. Pobre chiquitín. Ya no lo veremos con su medalla. Estaba muy sano y a los cuatro días murió; sin embargo, el último día aún hizo un esfuerzo para terminar su trabajo de gramática. ¡Adiós!

Hoy ha sido un día más alegre. Es la víspera de la distribución de premios en el teatro de Víctor Manuel: la fiesta más grande y hermosa de todos los años. En esta no han escogido al azar a los muchachos que debían ir al escenario para presentar los diplomas de los premios a los señores que hacen la distribución.

El director vino esta mañana al final de la clase y nos dijo:

—Muchachos, una buena noticia. ¡Coraci!

El calabrés se puso en pie.

—¿Quieres ser uno de los que mañana en el teatro entreguen los diplomas a las autoridades?

El calabrés dijo que sí.

—Está bien. De esta manera tendremos también a un representante de la Calabria. Será algo muy hermoso. El Ayuntamiento ha querido que este año los diez o doce muchachos que presenten los premios sean chicos de todas las partes de Italia. Contamos con veinte secciones de las escuelas públicas. Entre tan gran número no costó trabajo encontrar un muchacho por cada región italiaria. En la sección llamada Torcuato Tasso se encontraron dos representantes de las islas: un sardo y un siciliano. La escuela Boncompagni dio un pequeño florentino, hijo de un escultor en madera. Hay un romano en la sección Tomasea. Vénetos, lombardos de las Romañas, se encontraron varios. Un napolitano, hijo de un oficial procedente de la sección Monviso. Por nuestra parte damos un genovés y un calabrés, tú; Coraci. Con el piamontés serán doce. Es hermoso, ¿verdad? Vuestros hermanos de todas las regiones italianas serán los que os den los premios: los doce se presentarán a la vez en el escenario. Acogedlos con aplausos. Son chicos, pero representan al país como si fueran hombres. Lo mismo simboliza a Italia una pequeña bandera tricolor que una grande, ¿no es cierto? Aplaudidles cariñosamente, porque son como una muestra de la patria.

Todos aplaudimos y cuando salimos todos rodeamos a Coraci, lo cogimos por las piernas, lo levantamos en alto y comenzamos a llevarlo en triunfo, gritando: «¡Viva el diputado por Calabria!» Así lo llevamos hasta la esquina, donde se encontraron con un señor de barba negra que al verlo se echó a reír. El calabresito dijo: «Pero, ¡si es mi padre!»

Solo entonces lo dejaron, ya que lo habían hecho por cariño y no por broma.

Martes, 14

A eso de las dos el gran teatro estaba lleno: el patio, las galerías, los palcos, el escenario, todo rebosaba. Se veían miles de caras de muchachos, señoras, maestros, trabajadores, mujeres del pueblo, niños... Era un movimiento de cabezas y manos, de plumas, lazos y rizos.

El teatro estaba adornado con colgaduras de tela roja, blanca y verde. En el patio de butacas habían hecho dos escaleras, una a la derecha, por la cual los premiados debían subir al escenario; otra a la izquierda, por donde debían bajar después, tras de haber recibido el premio. Delante, en el escenario, había una fila de sillones rojos y del respaldo, del que ocupaba el centro, colgaba una linda corona de laurel. En el fondo, un trofeo de banderas; a un lado una mesa con tapete verde sobre la cual estaban todos los diplomas, atados con lazos tricolores. La orquesta estaba en su sitio, los maestros y las maestras llenaban la mitad de la primera galería, que les había sido reservada. Las butacas estaban atestadas de niños que habían de cantar, con los papeles de música en las manos.

Apenas entré con mi familia en el palco, vi en el de enfrente a la maestrita de la pluma azul que reía, y con ella a la maestra de mi hermana y a mi buena maestra de la sección superior.

Mirando al patio me encontré enseguida con la simpática carota de Garrón y la cabecita rubia de Nelle, pegada al hombro de Garrón. Algo más allá, a Garofi, con su nariz de gavilán, que se agitaba mucho para recoger listas impresas de los que iban a ser premiados y de las cuales había reunido un gran fajo, para hacer sin duda algún negocio de los suyos.

Cerca de la puerta estaba el vendedor de leña, con su mujer, ambos vestidos de fiesta y su hijo, que tiene tercer premio. Me quedé asombrado al ver que no llevaba su gorra de piel de gato y el chaleco de punto de color chocolate, sino que iba vestido como un señorito.

En la galería alcancé a ver por un instante a Votino, con su gran cuello bordado. Luego desapareció. También en un palco proscenio lleno de gente estaba el capitán de artillería, padre de Roberto, el niño de las muletas.

Al dar las dos la banda tocó y en el mismo momento subieron por la escalera de la derecha el alcalde, el gobernador, el asesor y muchos señores, vestidos todos de negro, que se fueron a sentar en los sillones rojos. La banda cesó de tocar. Se adelantó el director de la escuela de canto, batuta en la mano. A una señal suya todos los muchachos del patio se pusieron en pie, y a otra comenzaron a cantar. Setecientas voces, qué hermosura. Todos escuchaban atentos e inmóviles, y cuando callaron, aplaudieron.

Mi maestro de la sección segunda se había adelantado ya, con su rubia cabeza y sus avispados ojos, para leer los nombres de los premiados. Se esperaba que llegasen los doce muchachos para presentar los diplomas. Los periódicos habían publicado ya que serían chicos pertenecientes a todas las provincias italianas, y todos esperaban con curiosidad su llegada.

De repente aparecieron todos en perfecta formación, y se detuvieron en el escenario.

Todo el teatro, tres mil personas en total, se levantan y prorrumpen a la vez en un aplauso, que más parecía un trueno. Los muchachos parecieron desconcertarse un instante.

—Ahí tenéis a Italia —dijo una voz desde el escenario.

Inmediatamente, reconocí a Coraci, el calabrés, vestido de negro, como siempre. Un señor del Ayuntamiento, que conocía a todos, se los iba indicando a mi madre.

—Aquel pequeño rubio es el representante de Venecia. El romano es aquel alto y de pelo rizado.

Había dos o tres mejor vestidos, los demás eran hijos de trabajadores, pero bien ataviados, y sobre todo muy limpios. El florentino, que era el más pequeño, llevaba una faja azul en la cintura.

Pasaron todos delante del alcalde, que los fue besando en la frente uno a uno, mientras otro señor que estaba a su lado le iba indicando los nombres de las ciudades:

—Florencia, Nápoles, Bolonia, Palermo...

Y a cada uno que desfilaba el teatro aplaudía. Luego se colocaron todos al lado de la mesa verde para ir cogiendo los diplomas. El maestro comenzó a leer la lista, diciendo las secciones, las clases y los nombres, mientras los premiados ascendían por su orden.

Apenas habían subido los primeros cuando comenzó a oírse detrás del escenario una música muy dulce de violines, que duró todo el tiempo que tardaron en desfilar los agraciados.

Cada uno recibía su diploma. Los niños pequeños, sobre todo, se confundían a veces y no sabían adónde ir, suscitando la risa. Uno de ellos, que apenas medía tres palmos, con un gran lazo encarnado, cayó al suelo, enredándose en la alfombra. El gobernador lo puso en pie, en medio de los aplausos.

Cuando le tocó la vez a nuestra sección, sí que me divertí. Conocí a casi todos. Pasó Coreta, que estrenaba traje, risueño, alegre, y sin embargo, ¡quién sabe cuántos kilos de leña había acarreado ya en ese día! El alcalde, al darle el premio, le preguntó qué era una señal encarnada que tenía en la frente. Luego llegó Deroso, con traje azul, tan esbelto como siempre y con la frente alta. Todos los señores le dieron un apretón de manos.

El maestro pronunció el nombre de Roberto y vimos al hijo del artillero avanzar con sus muletas. Muchos conocían ya la razón de andar así. La voz se esparció en un instante y una salva de aplausos y de gritos hizo retemblar el teatro. Los hombres se pusieron en pie, las señoras agitaron sus pañuelos y el pobre muchacho se quedó parado, confuso. El alcalde se le acercó, le dio el premio y, tomando de su sillón la corona de laurel, la colocó en la almohadilla de una de las muletas. Luego le acompañó al palco proscenio, donde estaba su padre, el cual lo cogió en sus brazos y lo metió dentro, en medio de una gritería de bravos y vivas.

Cuando concluyó el reparto de premios, volvieron a cantar los muchachos. Habló el alcalde, y tras éste el inspector de escuelas, que terminó diciendo:

—No salgáis de aquí sin enviar un saludo a los que tanto se afanan por vosotros, a los que os consagran todas las fuerzas de su inteligencia y de su corazón y viven y mueren por vosotros.

Y señaló a la galería de los maestros.

Todos los muchachos se levantaron a vitorearlos. Los

maestros respondían emocionados agitando las manos, los sombreros y los pañuelos.

La banda tocó otra vez y el público envió de nuevo su saludo a los doce muchachos de todas las provincias de Italia, que se presentaron en una fila en el escenario, con los brazos entrelazados, bajo una lluvia de ramos de flores.

Lunes, 20

Puedo asegurar que el que Coreta haya alcanzado un premio y yo no, no ha sido la envidia el motivo del disgusto que he tenido con él. No fue por envidia, no, aunque reconozco que hice mal.

El maestro me había colocado a su lado y yo estaba escribiendo en el cuaderno de caligrafía, cuando me empujó con el codo y me hizo echar un borrón y manchar el cuento mensual que tenía que copiar para el «Albañilito», que está enfermo. Me enfurecí y le dediqué un insulto.

—No lo he hecho adrede —me dijo sonriendo.

Debí haberle creído, porque lo conozco, pero me molestó que sonriera, y pensé que ahora que había obtenido un premio estaba ensoberbecido. Al poco rato, para vengarme le di un empujón que le estropeó la pluma. Encendido por la rabia, me dijo:

—Tú sí que lo has hecho con intención —y levantó la mano para pegarme, pero al ver que el maestro nos miraba, añadió por lo bajo—: Te espero fuera.

Yo me quedé aturdido. Mi rabia se había desvanecido y estaba arrepentido de lo que había hecho.

Me vino a mis mientes cómo le había visto cuidar a su

madre enferma y la alegría con que le había recibido en mi casa, y cuánto le había agradado a mi padre. ¡No sé lo que habría dado por no pronunciar aquel insulto ni haber cometido semejante bajeza! Me acordé de lo que mi padre me había dicho muchas veces: «¿Has hecho mal?» Pues ¡pide perdón!

No obstante, no quería hacerlo para no humillarme.

Le miraba de reojo y veía su chaqueta de punto descosida por la espalda, quizá por la mucha leña que había llevado, y me decía a mí mismo: «Ten valor», pero la palabra «perdóname» no salía de mis labios, se me atascaba en la garganta.

Él también alguna que otra vez me miraba de reojo y me parecía que estaba apesumbrado también. Yo le miraba fosco para darle a entender que no le tenía miedo. Él me repitió:

—Sí, allí nos veremos —le respondí.

Pero no cesaba de pensar en lo que mi padre me había dicho en muchas ocasiones: «Si tienes razón defiéndete, pero no te pelees.»

Estaba nervioso y triste, sin oír lo que el maestro explicaba. Al fin llegó la hora de la salida.

Cuando me encontré solo en la calle, noté que él me seguía. Me detuve y le esperé con la regla en la mano. Se me acercó y levanté la regla.

—No, Enrique —me dijo con su sonrisa bondadosa—. Seamos tan amigos como siempre.

Me quedé un momento aturdido y luego, como si una mano me empujase por detrás, fui a abrazarlo. «Basta de enfados con nosotros, ¿eh?»

—Nunca más —le respondí.

Y no separamos, contentos de haber hecho las paces.

Cuando llegué a casa se lo conté a mi padre, creyendo que le agradaría, pero le sentó muy mal y me dijo:

—Tú debías haberle tendido primero la mano, puesto que fuiste el causante. ¡No debiste levantar la regla sobre un compañero mejor que tú e hijo de un soldado!

Y cogiendo la regla la hizo pedazos.

Viernes, 24

Mi hermana me ha escrito una nota quejándose de que una vez que nuestro padre rompió la regla, yo me porté mal con ella. Me dice que cuando yo era chiquitín, ella dejaba muchas veces de jugar con sus amigas para cuidarme y estar conmigo. Y que si alguna vez nuestros padres faltan, ella hará de madre para conmigo. Me ha emocionado mucho con sus palabras y le he respondido que no era digno de su bondad, y le rogaba que me perdonase.

El cuento de este mes se llama:

SANGRE ROMAÑOLA

Aquella tarde la casa de Federico estaba más tranquila que de costumbre. El padre, que tenía una pequeña tienda de mercería, había ido a Forli de compras. Su madre le acompañaba con Luisita, una niña a quien llevaban para que la viera el oculista, ya que le habían de operar de un ojo enfermo. Poco faltaba ya para la media noche. La mujer que venía a prestar servicios durante el día se había ido ya.

En la casa no quedaba más que la abuela, con las piernas paralizadas, y Federico, muchacho de trece años. Era una casita de un solo piso, situada en la carretera y a poca distancia del pueblo inmediato a Forli, ciudad de la

Romaña, y al lado no había más que otra casa deshabitada, arruinada por un incendio, y que había sido anteriormente una hospedería.

Detrás de la casa había un huertecillo rodeado de un seto, al cual daba una puertecilla. La puerta de la tienda, que también lo era de la casa, se abría sobre la carretera. Alrededor se extendía la campiña.

Llovía y hacía viento. Federico y la abuela se hallaban en el cuarto de estar, entre el cual y el huerto había una habitación llena de muebles viejos. Federico había vuelto a la casa a las once, después de pasar fuera muchas horas. La abuela le había esperado despierta, llena de ansiedad por su inmovilidad, en un sillón de brazos en el que solía pasar todo el día y frecuentemente la noche, porque la fatiga no le permitía muchas veces echarse.

El viento arrojaba la lluvia contra los cristales y la noche era oscurísima. Federico había vuelto cansado, lleno de fango, con la chaqueta hecha jirones y con el cardenal de una pedrada en la frente, ya que llegaba de apedrearse con sus compañeros. Además, había perdido su dinero jugando, y la gorra.

Aun cuando la cocina no estaba iluminada más que por un pequeño candil de aceite, la abuela había visto enseguida en qué estado estaba su nieto, y le hizo confesar sus diabluras.

Ella quería mucho al muchacho. Cuando supo todo, se echó a llorar.

—Ah, no —dijo después—. Tú no tienes corazón para tu pobre abuela. No tienes corazón, puesto que te aprovechas de la ausencia de tus padres para darme estos disgustos. ¡Todo el día me has dejado sola! No has tenido compasión al verme impedida. Federico, vas por mal camino y eso te conducirá a un fin muy triste, te lo digo yo. Se empieza por marcharse de casa para reñir con los otros chicos y jugarse el dinero, y luego poco a poco se pasa a otros vicios e incluso al robo.

Federico oía a su abuela a unos pasos de distancia, apoyado en un arcón, con la barbilla caída sobre el pecho, el entrecejo arrugado y todavía sudoroso por la pelea. Un mechón de pelo castaño caía sobre su frente.

—Del juego, al robo —repetía la abuela—. Piensa en ello, Federico; piensa en aquella ignominia que hubo aquí en el pueblo, con aquel Víctor Monzón, que ahora es un vagabundo en la ciudad, y que a los veinticuatro años ha estado ya dos veces en la cárcel y ha hecho que muera de pena su pobre madre, y a su padre huir a Suiza. Pues bien, yo lo conocí de muchacho, como tú, y comenzó igual que tú. Piensa en lo que sufrirían tu padre y tu madre, si tú...

Federico callaba. En realidad se sentía arrepentido por sus travesuras, porque no tenía malos instintos, sino que su padre le tenía mal acostumbrado, ya que, considerándole en el fondo como poseedor de buenos sentimientos, le dejaba rienda suelta en la confianza de que con los años se haría juicioso. Sólo era obstinado y terco, y aunque estuviera oprimido por el arrepentimiento, no podía pronunciar las palabras de «perdóname».

—Ay, Federico. No tienes ni una palabra de arrepentimiento. ¿No ves en qué estado me encuentro, enferma, paralizada? No debes tener corazón cuando me haces sufrir así, a la madre de tu madre, tan vieja y con los días contados, que siempre te ha querido tanto y que noche tras noche te mecía en la cuna cuando eras chiquitín y que no comía por entretenerte. Yo pensaba: «éste será mi último consuelo». ¡Y ahora me haces morir de pena!

Federico iba a abrazarse a su abuela, vencido por la emoción, cuando le pareció oír un ligero ruido en el cuarto inmediato, el que daba al huerto, algo así como un chirrido. Prestó oído. La lluvia golpeaba en los cristales. El ruido se repitió y la abuela también lo oyó.

—¿Qué es eso? —preguntó asustada.

—La lluvia —murmuró el muchacho.

—Entonces, Federico —siguió la abuela—, ¿me prometes ser bueno, me prometes que no me harás nunca llorar?

La interrumpió un nuevo ruido.

—No me parece la lluvia —dijo palideciendo—. Ve a ver. O si no, no, quédate aquí conmigo. Tengo miedo.

Y agarró a Federico por la mano.

Ambos contuvieron la respiración. Luego los dos se estremecieron. Tanto a uno como a otro les parecía haber oído ruido de pasos en el cuarto.

—¿Quién anda ahí? —preguntó el muchacho, haciendo un esfuerzo. Nadie respondió.

—¿Quién anda ahí? —repitió, helado de miedo. Y apenas había pronunciado esas palabras cuando ambos lanzaron un grito de terror.

Dos hombres entraron en la habitación. Uno de ellos agarró al muchacho y le tapó la boca con la mano. El otro cogió a la abuela por la garganta. El primero dijo:

—Silencio, si no quieres morir.

En segundo añadió:

—¡Calla! —uno y otro llevaban pañuelos por la cara, con dos agujeros para los ojos.

Durante unos segundos no se oyó más que la entrecortada respiración de los cuatro y el rumor de la lluvia. El que tenía al chico, dijo:

—¿Dónde tiene tu padre el dinero?

El muchacho respondió con un hilo de voz:

—Ahí, en el armario.

—Ven conmigo.

Lo arrastró hasta el cuartito, teniéndole cogido por el cuello. Había una linterna en el suelo.

—¿Dónde está el armario?

El muchacho, angustiado, señaló con el dedo. Entonces, para estar seguro, el hombre arrodilló a Federico ante el armario, apretándole el cuello entre las piernas y teniendo la linterna en una mano sacó del bolsillo con la otra una ganzúa que metió en la cerradura, forcejeó, rompió y por último abrió de par en par las puertas. Furiosamente se llenó los bolsillos, cerró, volvió a abrir, rebuscó. Luego cogió al muchacho por la nuca, llevándolo hacia donde el otro tenía sujeta a la anciana, que parecía convulsa, con la cabeza caída y la boca abierta.

—¿Lo encontraste? —preguntó éste.

—Lo encontré.

—Mira a la puerta —el que tenía sujeta a la anciana corrió a la puerta del huerto para ver si había alguien cerca. Desde allí, con voz que parecía un silbido dijo—: Ven. El que había quedado en el cuarto de estar y que aún continuaba agarrando a Federico, enseñó un cuchillo al muchacho y a la anciana que volvía a abrir los ojos y dijo:

—Ni una voz o vuelvo atrás y os degüello a los dos.

En el mismo instante se oyó en la carretera un canto de muchas voces. El ladrón volvió rápidamente la cabeza hacia la puerta, y con el movimiento se le cayó el pañuelo. La anciana lanzó un grito.

—¡Monzón!

—Maldita —rugió el ladrón—. Tienes que morir ahora que me has visto.

Y se lanzó con el cuchillo hacia la anciana, que perdió el conocimiento del susto.

El asesino descargó el golpe, pero con un movimiento rapidísimo, dando un grito, Federico se había lanzado hacia su abuela y la había cubierto con su cuerpo.

El asesino huyó, empujando la mesa y cayendo la luz al suelo, donde se apagó.

El chico resbaló lentamente, cayó de rodillas y así permaneció rodeando la cintura de su abuela y la cabeza apoyada en el cuerpo de la anciana. Pasó algún tiempo. Todo permanecía completamente oscuro. El cántico de los labradores se iba alejando. La anciana volvía por fin en sí de su desmayo.

—Federico —llamó, con voz temblorosa.

—Abuela... —respondió el niño.

La anciana hizo un esfuerzo para hablar, pero el terror la paralizaba la lengua. Luego logró preguntar.

—¿Ya no están?

—No.

—¡No me han matado!

—No... estás... salvada —dijo Federico débilmente—. Estás a salvo, querida abuela... Se han llevado un poco de... dinero, pero padre... había recogido... casi todo.

La abuela respiró con fuerza.

—Abuela, querida... abuela... me quieres mucho... ¿verdad?

—Oh, Federico, pobre hijo mío... ¡Qué espanto has debido pasar! Enciende la luz.

—Abuela... yo siempre he dado... muchos disgustos a todos...

—No, no digas eso. Ya no pienses más en ello. Lo he olvidado todo.

—Siempre os he dado disgustos —continuó Federico trabajosamente—, pero os he querido siempre... ¿Me perdonas abuela?

—Sí, hijo, te perdono. Pero, levántate, niño mío. Encendamos la luz.

—Gracias, abuela —respondió Federico con voz cada vez más débil—. Ahora... estoy contento... Te acordarás de mí, abuela... ¿no es verdad...? Os acordaréis todos de mí, de vuestro Federico...

—Niño —exclamó la abuela maravillada, e inquieta, al mismo tiempo, poniéndole la mano en la espalda e inclinando la cara, tratando de verle la cara.

—Da un beso... a mi padre y a madre... y a Luisita. Adiós... abuela...

—En nombre del Cielo, ¿Qué tienes? —gritó la anciana palpándole la cabeza, que había caído en sus rodillas. Y luego, con toda la fuerza que le quedaba, gritó—: ¡Federico! ¡Federico! ¡Niño mío!

Pero Federico ya no respondió. El pequeño héroe, el salvador de la madre de su madre, había entregado su pequeña pero valiente alma a Dios.

Martes, 28

El hijo del albañil está gravemente enfermo. El maestro nos dijo que fuéramos a verlo y convinimos en ir juntos Garrón, Deroso y yo. Estardo habría venido también, pero como el maestro nos encargó de la descripción del monumento a Cavour, quería él ir a verlo para hacer la descripción lo más exacta posible.

Llegamos alrededor de las cuatro y llovía copiosamente.

Garrón se detuvo, preguntando:

—¿Qué le llevamos?

Pusimos algo de dinero cada uno y le compramos unas naranjas grandes y jugosas.

Subimos a la buhardilla. Delante de la puerta, Deroso se quitó la medalla y se la guardó en el bolsillo. Le pregunté por qué lo hacía.

—No lo sé —respondió—. Me parece más delicado ir sin ella.

Llamamos y nos abrió el padre, aquel hombrón que parecía un gigante. Tenía la cara desencajada y estaba como espantado.

—¿Quiénes sois? —preguntó.

Garrón respondió que éramos compañeros de Antonio, al que traíamos unas naranjas.

—Ah, pobre Toño —exclamo el albañil—. Me temo mucho que no pueda comer vuestras naranjas.

Nos hizo pasar adelante y entramos en un cuarto abuhardillado, donde vimos al «Albañilito», que dormía en una cama de hierro. Su madre estaba apoyada en la cama, con la cara entre las manos y apenas se volvió para mirarnos. El pobre chiquillo estaba flaco, muy pálido, con la nariz afilada y la respiración anhelosa. Garrón dejó una naranja sobre la almohada, junto a la cara: El perfume le despertó, y la cogió, pero luego la volvió a dejar. Se quedó mirando fijamente a Garrón.

—Soy yo —le dijo éste—. Garrón, ¿me conoces?

Se sonrió casi imperceptiblemente, levantó la mano con dificultad y se la presentó a Garrón, que la cogió entre las suyas, diciéndole:

—Vamos, ánimo, Antonio. Te pondrás bueno pronto y volverás a la escuela y el maestro te pondrá delante de mí.

Pero Toño no respondió y la madre estalló en sollozos, diciendo que Dios no podía quitarle un hijo tan bueno.

—Cállate —le dijo el albañil—. Cállate, por el amor de Dios. Él nos lo ha dado, y él nos lo quitará si ésa es su voluntad. Iros, iros, muchachos, y muchas gracias, pero nada podéis hacer por él.

El muchacho había cerrado los ojos y parecía muerto.

—¿Necesitaba usted algún encargo? —preguntó Garrón.

—No, hijo mío, nada, gracias. Marchaos a vuestras casas.

Y diciendo esto nos empujaba hacia la puerta. Pero apenas había llegado al primer rellano de la escalera cuando le oímos gritar:

—¡Garrón! ¡Garrón!

Subimos los tres corriendo.

—¡Garrón! —gritó de nuevo el albañil—. Te ha llamado por tu nombre. ¡Te ha llamado dos veces! Quiere que estés con él. Ven enseguida. ¡Ah, Santo Dios, si fuese una buena señal!

—Hasta mañana —nos dijo Garrón a Deroso y a mí—. Yo me quedo —y entró en casa con el albañil.

Yo miré a Deroso y vi que tenía los ojos llenos de lágrimas.

—¿Lloras por el «Albañilito»? Si ha hablado es posible que se cure.

—Así lo creo. Pero no pensaba tanto en él como... ¡pensaba en lo bueno que es Garrón y en el alma tan hermosa que tiene!

ABRIL

Sábado, 1

Ya han pasado tres meses del año y quedan todavía otros tres meses para el verano. La mañana de hoy ha sido una de las más hermosas del año.

Entraba muy contento en la escuela porque Coreta me había dicho que iríamos pasado mañana con su padre a ver al rey, que dice que lo conoce, y también porque mi padre me había prometido llevarme ese mismo día a visitar el asilo infantil de la Carrera Valdoceo. También porque el «Albañilito» estaba mejor y porque ayer tarde, al pasar, el maestro le dijo a mi padre:

—Va bien, va bien.

Desde la ventana de la escuela se veía el cielo azul, los árboles, el jardín todo cubierto de brotes y las ventanas de las casas abiertas de par en par, con los cajones y tiestos ya reverdecidos.

El maestro no se reía, porque jamás se ríe, pero estaba de buen humor, tanto que no se le veía la arruga recta que casi siempre tiene en medio de la frente, y explicaba un problema en la pizarra bromeando. Bien notábamos todos su satisfacción al respirar el aire del jardín perfumado por la tierra y por las hojas, que nos recordaba a todos los paseos por el campo.

Mientras él explicaba, se oía en la calle a un herrero que golpeaba el yunque y en la casa de enfrente una mujer que cantaba para dormir a un niño. En el cuartel de Cernaia se escuchaban las trompetas.

Todos, hasta el mismo Estardo, parecíamos contentos.

En un momento dado, el herrero se puso a martillear más fuertemente, y la mujer a cantar más alto. El maestro cesó de explicar, prestó oído atento y mirando por la ventana dijo con lentitud:

—El cielo que sonríe, una madre que canta, un hombre honrado que trabaja, unos chicos que estudian... ¡qué cosas tan hermosas!

Cuando salimos de clase vimos que todos los demás estaban también alegres; marchaban en fila marcando el paso y cantando como en vísperas de vacaciones. Las maestras jugueteaban; la de la pluma azul saltaba siguiendo a sus niños como una colegiala. Los padres de los alumnos hablaban entre sí, riéndose y la madre de Grosi, la verdulera, tenía en la cesta muchos ramitos de violetas que llenaban de aroma el vestíbulo.

Yo nunca me había sentido tan contento al ver a mi madre, que me aguardaba en la calle, y se lo dije según corría a su encuentro.

—Estoy alegre. ¿Qué ocurre para que yo esté tan contento hoy?

Mi madre me respondió sonriendo que era la primavera y la satisfacción del deber cumplido.

Lunes, 3

A las diez en punto mi padre vio desde la ventana a Coreta, el vendedor de leña, y a su hijo, que me esperaban en la plaza. «Ahí está, Enrique», me dijo. «Ven a ver al rey.»

Bajé rápidamente y el padre y el hijo estaban contentos como nunca. Y también tan parecidos uno a otro que resultaba difícil casi distinguirlos. El padre llevaba puestas la chaqueta y la medalla al valor, entre otras dos conmemorativas, los bigotes rizados y puntiagudos como agujas.

Nos pusimos en marcha enseguida hacia la estación del ferrocarril, adonde debía llegar el rey a las diez y media. Coreta padre fumaba su pipa y se restregaba las manos.

—¿Sabéis? —decía—. No le he vuelto a ver desde la guerra del setenta y seis. La friolera de quince años y seis meses. Primero, tres años en Francia, luego en Mondovi y aquí, que le hubiera podido ver, jamás ocurrió la maldita casualidad que estuviese en la ciudad cuando él venía. ¡Lo que son las casualidades!

Llamaba al rey «Humberto», como si fuera su camarada. «Humberto» mandaba la 16ª División. «Humberto» tenía veintidós años. «Humberto» montaba un caballo de este o aquel pelaje...»

—Quince años —añadía, apretando el paso—. Tengo verdaderas ansias de verlo: lo dejé príncipe y le vuelvo a

109

ver rey. También yo he cambiado: he pasado de soldado a vendedor de leña.

El hijo le preguntó:

—Si te viera, ¿crees que te reconocería?

Se echó a reír.

—¿Estás loco? Pues no faltaba más. Él, Humberto, era uno solo, mientras que nosotros éramos muchos. ¿Qué crees? ¿Que siempre nos miraba uno a uno?

Desembocamos en la Avenida de Víctor Manuel. Mucha gente se dirigía hacia la estación. Una compañía de alpinos pasaba con trompetas. Dos carabineros iban al galope. El cielo estaba espléndido.

—Sí —exclamó el padre de Coreta animándose—. Tengo un gran placer en volver a ver a mi general de división. ¡Ay, qué pronto he envejecido! Aún me parece que fue ayer cuando tenía la mochila al hombro y el fusil entre las manos, en medio de aquella confusión, la mañana del 24 de junio, cuando íbamos a entrar en fuego. «Humberto» iba y venía con sus oficiales, mientras el cañón retumbaba a lo lejos; todos nos mirábamos y nos decíamos: «Con tal de que no le toque a ese una bala.» Estaba a mil leguas de pensar que dentro de poco lo encontraría tan cerca, allí mismo, ante las lanzas de los ulanos austríacos, precisamente a cuatro pasos uno del otro, hijos míos. Era un día hermoso, el cielo parecía un espejo, ¡con un calor...!

Habíamos llegado a la estación. Se veía un inmenso gentío. Carruajes, guardias, carabineros, sociedades con banderas... Tocaba la banda de un regimiento. Coreta padre intentó entrar bajo el pórtico, pero no le dejaron. Entonces pensó en meterse en primera fila, entre la multitud que se agolpaba a la salida, y abriéndose paso con los codos llegó a empujones delante de nosotros. Pero la muchedumbre, en sus movimientos de vaivén, nos llevaba a veces por este lado, otra para aquél. El vendedor de leña se colocó pegado a una pilastra del pórtico, donde los guardias no dejaban estar a nadie.

—Venid conmigo —dijo de repente cogiéndonos de la mano. En dos saltos atravesamos el espacio libre y se fue a plantar con la espalda pegada a la pared. Inmediatamente acudió un sargento de seguridad y le dijo:

—No se puede estar aquí.

—Soy del cuarto batallón del cuarenta y nueve —respondió enseñando la medalla. El sargento le miró y le respondió:

—Quédese.

—Pero, ¡si siempre lo he dicho! —gritó Coreta con aire de triunfo—. El decir «cuarto del cuarenta y nueve» es una palabra mágica. ¡Como si no tuviera derecho a ver a mi general, yo que formé parte del cuadro! Si entonces le tuve cerca, me parece justo que lo pueda ver de cerca ahora también. ¡Y qué digo general! ¡Si fue el comandante de mi batallón por media hora, porque en aquellos momentos era él quien lo mandaba, porque estaba en medio de nosotros y no el comandante Ubrich!

En el salón de espera y en el exterior se veía un confuso montón de señores y oficiales y delante de la puerta había una hilera de coches con los criados vestidos de rojo.

Coreta preguntó a su padre si el príncipe Humberto tenía la espada en la mano cuando se hallaba al frente de sus tropas.

—¡Ya lo creo que llevaba la espada en la mano! Tenía que poder parar una lanzada, que lo mismo podía tocarle a él que a cualquier otro. ¡Demonios desencadenados se nos venían encima! Corrían por entre los grupos, por entre los escuadrones y por entre los cañones, que parecían empujados por el huracán, atravesándolo todo con la lanza. Era una confusión terrible. Había allí coraceros de Alejandría, lanceros de Fogia, de infantería, de ulanos, de cazadores... Un infierno en el cual apenas se entendía nada. Vi venir las lanzas a la carga, disparamos los fusiles, una nube de pólvora lo ocultó todo... La tierra estaba cubierta de caballos y de ulanos heridos y muertos. Me volví hacia atrás y vi en medio de nosotros... ¿a quién diréis? Pues al mismo Humberto a caballo, que miraba a su alrededor, tan tranquilo, como si estuviese pasándonos revista. Nosotros lo vitoreamos en su misma cara, como locos. ¡Santo Dios, qué instantes aquéllos! ¡Ah, ahí está el tren ya!

La banda tocó más fuerte, y los oficiales acudieron desde todas partes. La gente se puso de puntillas.

—No saldrá tan pronto, tranquilos —dijo un guardia—. Ahora está escuchando un discurso.

Coreta padre seguía tan entusiasmado como antes.

—Ah, cuando pienso en todo aquello... Me parece que lo estoy viendo siempre allí. Me alegro cuando sé que ha visitado hospitales, y enfermos de cólera, y los sitios en que ha habido terremotos, pero yo siempre pienso en él como lo vi entonces, entre nosotros, y con aquella cara tan tranquila, que parecía que estuviera en un paseo. Y estoy seguro de que él mismo se acuerda también del cuarto del cuarenta y nueve, ahora que ya es Rey y que tendría mucho gusto en que nos reuniéramos a comer todos los que estuvimos a su lado en aquellos momentos. Ahora tiene generales y grandes señores a su alrededor, y entonces no tenía más que pobres diablos de soldados, pero que lo querían de verdad. Si pudiera al menos tener cuatro palabras con él... ¡Nuestro general de veintidós años, nuestro príncipe, confiado a nuestras bayonetas...! ¡Quince años que no lo veo! Esta música me enciende la sangre, palabra.

Una gran algarada lo interrumpió, millares de sombreros se alzaron en un saludo y cuatro señores vestidos de negro subieron en el primer carruaje.

—¡Es él! —dijo Coreta, encantado. Luego, en voz baja—: ¡Virgen Santa, cuantas canas hay en su pelo!

Los tres nos descubrimos; el carruaje avanzaba con lentitud en medio de la gente que gritaba y agitaba los sombreros. Yo miraba a Coreta, el padre. Parecía otro: más alto, más serio, allí, apoyado en la pilastra.

El carruaje llegó delante de nosotros. Entonces Coreta perdió la cabeza y gritó:

—¡Cuarto batallón del cuarenta y nueve!

El rey, que tenía la cabeza vuelta hacia otro lado, se volvió hacia nosotros y, fijándose en Coreta, extendió la mano fuera del coche. Coreta dio un salto hacia adelante y se la apretó.

El carruaje pasó, la multitud se interpuso y nos quedamos separados, perdiendo de vista a Coreta padre. Fue sólo un momento. Lo encontramos enseguida, fatigado, con lágrimas en los ojos, llamando a voces a su hijo y la cabeza alzada. Coreta se aproximó a él.

—Ven acá, hijo mío —dijo—, todavía tengo la mano caliente —y se la pasó por el pelo a su hijo—. Ésta es la caricia del rey.

Allí se quedó, como si despertase de un sueño, contemplando el carruaje que se perdía a lo lejos, con la pipa entre las manos y un grupo de curiosos que lo miraban. «Es uno del cuatro del cuarenta y nueve», decían. «Es un soldado que conocía al rey.»

—Será que le quería pedir un favor —dijo otro.

—No —respondió Coreta con brusquedad, volviéndose hacia el último que había hablado—. No le he pedido un favor, pero hay algo que yo sí le daría a él si lo pidiera.

Y como todos se le quedaron mirándo fijamente, extrañados, añadió:

—¡Mi sangre!

Martes, 4

Mi madre, según me había prometido, me llevó ayer a ver el asilo infantil de la Carrera Valdoceo. Iba para recomendar a la directora a una hermanita de Precusa.

Yo nunca había visto un asilo. Me divertí mucho. Eran doscientos, entre niños y niñas, tan pequeños que los de la sección primera de nuestra escuela parecerían adultos a su lado. Llegamos en el momento en que entraban formados en el comedor, donde había dos larguísimas mesas con muchos agujeros redondos y en cada uno su escudilla llena de arroz y judías. Al entrar algunos se caían y se quedaban en el suelo hasta que llegaba alguna maestra para levantarlos.

Muchos se paraban delante de una escudilla, creyendo que aquél era su sitio y tomaban una cucharada hasta que la maestra le decía: «Vamos, adelante.»

Avanzaban tres o cuatro pasos y vuelta a comer otra cucharada, hasta que llegaban a su puesto después de haber picado media ración a cuenta de los demás. Finalmente, a fuerza de gritar y empujar, los pusieron a todos en orden y comenzó la oración. Pero los de la fila de dentro, que al rezar tenían que ponerse de espaldas a la escudilla, volvían la cabeza atrás, como si temieran que fueran a quitársela.

Por fin se pusieron a comer. Uno lo hacía con dos cucharas, otro con las manos, algunos cogían judías enteras y se las metían en el bolsillo, y otros las vertían en el delantalito y las amasaban hasta hacer una pasta con ellas.

Aquello parecía un gallinero, pero así y todo el espectáculo era gracioso. Las dos filas de niñas, con sus cabellos echados hacia atrás con cintas rojas, verdes y azules, estaban preciosas.

Una maestra preguntó a una fila de ocho niñas que en dónde nacía el arroz.

Las ocho respondieron cantando que el arroz nacía en el agua.

Luego la maestra ordenó que pusieran las manos en alto y obedecieron graciosamente.

A media tarde salieron a pasear pero todas cogieron sus cestas que estaban colgadas en las paredes.

En el jardín cada una de ellas cogió sus ciruelas, pedacitos de queso, huevos cocidos..., y cada una comía de distinta manera, como conejos, topos y gatos, royendo, lamiendo o chupando. Un niño mantenía una rodaja de pan contra su pecho y le sacaba lustre con un níspero; había otros que estrujaban el requesón hasta hacerlo chorrear. Vi algunas que rompían en varios trozos los huevos duros y luego se comían las miguitas en el suelo.

Un chiquitín tenía en la mano un cucurucho con azúcar y sólo a algunos les permitía mojar su pan en él, mientras que a otros les negaba la gracia de hacerlo.

Mi madre había vuelto al jardín y acariciaba a unos y otros. Muchos la seguían y se le echaban encima, pidiéndole un beso. Una le ofrecía un gajo de naranja mordido, otro una cortecita de pan, otro le mostraba con gran seriedad la punta del dedo donde se veía una heridita microscópica; le traían insectos, botones, todas las cosas en suma que para ellos representaban tesoros.

Las maestras se multiplicaban para acudir a todas partes: niñas que lloraban porque no podían deshacer el nudo del pañuelo...

Antes de salir mi madre cogió en brazos a tres o cuatro, y le mancharon de yema de huevo y de zumo de naranja. Las maestras decían que le iban a poner el vestido perdido, pero a mi madre no le importaba.

Siguió besándolos y cuando por fin pudimos escapar del jardín para marcharnos, aún nos seguían con la mirada y gritaban desde detrás de la reja. «¡Adiós, adiós, ven otra vez, señora!»

Miércoles, 5

En vista de que el tiempo sigue hermosísimo, nos han hecho dejar el recinto de gimnasia y han trasladado los aparatos al jardín.

Garrón estuvo ayer en el despacho del director, cuando llegó la madre de Nelle, una señora rubia vestida de negro, para suplicarle que dispensasen a su hijo de aquellos ejercicios. Cada palabra le costaba mucho esfuerzo y hablaba con la mano puesta en la cabeza del muchacho.

—No puede... —comenzó el director.

Pero Nelle el jorobadito se angustió tanto al ver que lo excluían de los ejercicios de gimnasia y que tenía que sufrir una nueva humillación ante sus compañeros, que estaba a punto de llorar.

—Ya verás, mamá, cómo hago como los demás —decía.

Su madre lo contemplaba en silencio, con expresión de afecto y piedad. Luego, dudando, le dijo:

—Pero temo que tus compañeros... Temo que se burlen de ti, hijo.

Nelle respondió:

—¡No importa! Está Garrón. Me basta con que él no se ría.

En vista de lo cual le dejaron.

El maestro, ese que tiene una herida en el cuello y que estuvo con Garibaldi, nos llevó en seguida a las barras verticales, que son muy altas y a las que era preciso subir y ponerse en pie en el último peldaño. Deroso y Coreta subieron como una pareja de monos, y también el pequeño Precusa ascendió con soltura, aunque entorpecido por su chaquetón, que le llegaba hasta las rodillas.

Estardo bufaba, se ponía rojo como un pavo, apretaba los dientes, pero estaba dispuesto a reventar antes que ceder, y llegó. También Novis, que al llegar arriba adoptó la postura de un emperador, pero Votino resbaló dos veces, a pesar de su traje nuevo que le habían hecho especialmente para la gimnasia.

Para subir con más facilidad todos se habían embadurnado las manos con pez griega, o colofonía, como otros la llaman. Y como de costumbre, Garofi es el que provee a todos, vendiéndoles el polvo a unos céntimos el cartucho y ganándose otro tánto.

Luego le tocó la vez a Garrón, que subió mascando pan, como si no hiciese nada, e incluso creo que hubiese sido capaz de subir a otro de nosotros en los hombros, hasta tal punto es vigoroso. Después de Garrón le tocó el turno a Nelle. Apenas le vieron agarrarse a las barras con sus brazos largos y delgados, muchos comenzaron a burlarse de él, pero Garrón cruzó sus fuertes brazos en el pecho y echó en su derredor una mirada tan expresiva que todos se callaron para evitarse un par de bofetadas. Nelle comenzó a trepar. Pobrecillo, le costaba mucho trabajo, se le ponía la cara morada, respiraba muy fuerte y le corría el sudor por la frente.

El maestro dijo: «Baja.»

Pero él, sin hacer caso, se obstinaba y seguía con sus esfuerzos. Yo esperaba verle desplomarse medio muerto. Garrón, Coreta y Deroso le animaban con sus gritos.

Y Nelle hizo un esfuerzo violento, lanzando un gemido y se encontró a dos cuartas del travesaño. «¡Bravo! —gritaron todos—. ¡Ánimo, ya no falta más que otro empujón!» Y Nelle se agarró al travesaño.

—Muy bien —dijo el maestro—. Y ahora, baja.

Nelle quiso subir hasta la punta, como los demás y después de tomar fuerzas un instante llegó a agarrarse a los brazos del último travesaño, puso las rodillas en el penúltimo y por fin los pies. ¡Ya estaba de pie, sin aliento, pero sonriente! Volvimos a aplaudir y él miró a la calle. Volví la cabeza en aquella dirección y a través de las plantas del seto vi a la madre, que paseaba por la acera sin atreverse a mirar lo que ocurría dentro del patio.

Nelle bajó y todos lo felicitaron. Estaba excitado, encendido. Sus ojos brillaban y no parecía él mismo.

A la salida, cuando su madre se le acercó y le preguntó algo inquieta, abrazándolo:

—Y, ¿qué, hijo? ¿Lo has podido hacer?

Todos los compañeros respondieron:

—¡Y lo ha hecho muy bien! Ha subido como nosotros, porque es fuerte y ágil. Hace lo que los demás.

Era consolador ver el placer de la señora. Nos quiso dar las gracias y no pudo. Hizo una caricia a Garrón y se llevó a su hijo. Iban tan contentos como nunca los había visto.

Martes, 11

¡Qué excursión tan hermosa hice ayer con mi padre! Fue así: anteayer, mientras comíamos, mi padre hizo gesto de asombro y exclamó:

—¡Y yo que lo creía muerto hace veinte años! ¿Sabéis qué todavía vive mi primer maestro de escuela? Vicente Groseti se llama y tiene ochenta y cuatro años. Veo que el Ministerio le ha dado la medalla por los sesenta años de enseñanza. Sesenta años... Y no hace más que dos que ha dejado de dar clase. ¡Pobre Groseti! Vive a una hora de ferrocarril de aquí, en Condove, el pueblo de nuestra antigua jardinera de Chieri. Enrique, iremos a verlo.

El nombre de su maestro le traía recuerdos de cuando él era un niño, de sus primeros compañeros y de su madre, ya fallecida.

—Tenía cuarenta años cuando yo iba a la escuela. Me

parece verlo aún. Un hombrecillo algo encorvado, de ojos claros y cara afeitada. Severo, pero de buenas maneras, que nos quería como un padre y no nos dejaba pasar nada. A fuerza de estudios y privaciones había llegado a ser maestro. Mi padre lo trataba como un amigo. ¿Cómo habrá ido a parar a Condove desde Turín? No me reconocerá, supongo, porque han pasado cuarenta y cuatro años. No importa. Lo reconoceré yo. Iremos a verlo mañana mismo.

Ayer a las nueve ya estábamos en la estación de Susa. Yo hubiese querido que Garrón nos acompañase, pero no pudo porque su madre estaba enferma. Una hermosa mañana de primavera. El tren corría por entre verdes prados y setos floridos. El aire estaba empapado de olores. Mi padre, muy contento, me hablaba y de vez en cuando me pasaba el brazo por encima de los hombros.

—Aún le veo entrar en la escuela —me decía—. Todos los días con el mismo humor, concienzudo, atento y lleno de cariño, como si fuera la primera vez que daba una clase.

Apenas llegamos a Condove fuimos en busca de nuestra antigua jardinera, que tiene una pequeña vivienda en una callejuela. La encontramos con sus hijos y nos recibió con mucha alegría, nos dio noticias de su marido, que está en Grecia, y de su primera hija, que está en el colegio de sordomudos de Turín. Luego nos señaló la calle para ir a casa del maestro.

Tomamos un camino bordeado de setos en flor. Mi padre ya no hablaba, absorto en sus recuerdos, y de pronto sonreía y movía la cabeza.

—Ahí está. Apuesto cualquier cosa a que es él.

Venía bajando por el camino, hacia nosotros, un anciano pequeñín y de barba blanca, con ancho sombrero y apoyado en su bastón.

Cuando estuvimos cerca nos detuvimos. El viejo también, mirando a mi padre. Todavía tenía la cara fresca y los ojos vivos.

Mi padre se quitó el sombrero y le preguntó si era el maestro Vicente Groseti.

El viejo se quitó también el sombrero y respondió que sí.

—Pues bien, permita que un antiguo alumno suyo estreche su mano. He venido desde Turín para verlo a usted.

El anciano lo miraba asombrado. Por fin dijo:

—Es demasiado honor para mí. No sé... ¿Cuándo fue usted mi discípulo? Y, por favor, ¿cuál es su nombre?

Mi padre le dijo su nombre, y el año en que había asistido a su escuela, y dónde. Luego agregó que tal vez no se acordaría de él, pero que él, mi padre, sí se acordaba de él perfectamente.

El maestro inclinó la cabeza y se puso a mirar al suelo, pensativo y murmurando el nombre de mi padre. De pronto levantó la cara y con los ojos muy abiertos, dijo:

—Conque... ¿hijo del ingeniero? ¿Aquél que vivía en la plaza de la Consolación?

—El mismo, señor Groseti.

—Entonces, permítame querido señor, permítame que lo abrace.

Su cabeza blanca apenas llegaba al hombro de mi padre.

—Tenga la bondad de venir conmigo.

Nos llevó hasta su casa, rodeada de un corral y con dos puertas. El maestro abrió la segunda y nos hizo entrar en un cuarto. Cuatro paredes blancas, en un rincón un catre de tijera con colcha de cuadritos, la mesita con una pequeña librería y un viejo mapa clavado en la pared. En la habitación olía a manzanas.

Nos sentamos y el viejo y mi padre estuvieron mirándose unos instantes.

—Oh, me acuerdo muy bien. Su madre era una dama muy buena. Usted, en el primer año, estuvo una temporada en el primer banco de la izquierda, cerca de la ventana. Ya ve que sí me acuerdo. Era un muchacho vivo. El segundo año tuvo una enfermedad grave. Ha sido muy bueno al acordarse de su viejo maestro. Otros años han venido algunos de mis antiguos discípulos, un coronel, un sacerdote... ¿Cuál es su profesión?

Mi padre se lo dijo.

—Me alegro. Hace tanto tiempo que no veía a nadie... Temo que sea usted el último.

—No diga usted eso.

—¿No ve usted este temblor de mis manos? Me atacó hace tres años, cuando todavía estaba en la escuela. Al principio no hice caso, pensando que se me pasaría, pero fue a más. Llegó un momento en que ya no podía escribir. La primera vez que hice un garabato en el cuaderno, fue para mí un golpe mortal. Seguí adelante algún tiempo, pero al fin ya no pude más. Tuve que despedirme de la escuela, de los alumnos, del trabajo... En la última lección que di, después me acompañaron todos a casa, felicitándome pero yo estaba muy triste. El año anterior había perdido a mi mujer y a mi hijo único. Ahora vivo con unos cientos de liras que me dan como pensión. No hago nada y los días me parecen interminables. Mi única ocupación es releer mis antiguos libros de clase y mis cuadernos... Por cierto, voy a darle a usted una pequeña sorpresa.

Abrió un cajón de la mesa, en el que había muchos paquetes atados con cintas. Después de buscar un momento abrió uno, sacó algunos papeles y se los presentó a mi padre.

En la cabecera había escrito: «El nombre de mi padre. Dictado, 3 de abril de 1838».

Mi padre reconoció su letra y se puso a leer sonriendo. De pronto se le nublaron los ojos y yo me acerqué a él. Pasó su mano por mi cintura y me dijo:

—Mira esta hoja. Ésta. Son las correcciones de mi pobre madre. Las últimas líneas son todas suyas. Había aprendido a imitar mi letra y cuando yo estaba cansado y tenía sueño, terminaba el trabajo por mí. ¡Era muy buena!

—He aquí —dijo el maestro—, mis memorias. Cada año ponía aparte un trabajo de uno de mis alumnos y aquí están numerados y ordenados. Muchas veces los ojeo y vuelven a mí los recuerdos... Me acuerdo de los mejores y de los peores, de aquéllos que me dieron satisfacciones y de aquellos que me hicieron pasar momentos tristes. Los he tenido verdaderamente endiablados, pero ahora ya los considero a todos lo mismo.

—Y de mí, ¿no recuerda usted alguna travesura? —preguntó mi padre sonriendo.

—No; así, de momento… Pero no quiere decir que no me las hiciera. Usted era jucioso y era serio para su edad. Me acuerdo del cariño que tenía a su madre. ¡Qué bueno ha sido usted al venir a verme!

Estaba contento y se puso a rememorar a sus alumnos. Mi padre le interrumpió para pedirle que bajara con nosotros al pueblo para almorzar, pero él parecía indeciso.

—Pero, ¿cómo voy a arreglármelas para comer con estas manos temblorosas?

Es un martirio para los demás.

—Nosotros le ayudaremos, maestro —respondió mi padre.

Aceptó por fin y salimos. Mi padre le dio el brazo, Groseti me cogió de la mano y bajamos al pueblo. No encontramos a nadie en el camino, y llegamos a la posada, que estaba silenciosa como un convento. El maestro parecía alegre y la emoción acentuaba el temblor de sus manos, pero mi padre le partió la carne, le preparaba el pan y le ponía la sal en los alimentos. Para beber era necesario que cogiera el vaso con las dos manos y aún así chocaba contra sus dientes. Mi padre no se cansaba de mirarle y recordaba los tiempos en que su propia madre le había depositado en la escuela la primera vez, y cómo el maestro le había prometido que lo cuidaría y trataría de hacer de él un hombre.

Al maestro se le vertió el vino en el pecho y mi padre se puso en pie para limpiárselo, aunque el hombre protestaba. En el fondo estaba el posadero y otros hombres que sonreían ante la escena, y que se veía querían mucho al maestro.

A las dos salimos y emprendimos el camino para la estación. El maestro se empeñó en acompañarnos, y algunos paseantes lo saludaban y nos miraban curiosos. Pasamos por la escuela y el maestro pareció entristecerse, oyendo el ruido de los muchachos.

—Heme aquí solo y sin hijos —dijo.

—No, maestro —le respondió mi padre—. Tiene usted muchos, miles de hijos esparcidos por el mundo, que se acuerdan de usted, aunque no puedan venir como yo sí he podido.

El tren iba a salir.

—¡Adiós, maestro! —dijo mi padre.

Yo lo besé y vi que tenía la cara mojada por las lágrimas. En el momento en que subíamos al tren, mi padre le cogió el tosco bastón que llevaba y le puso en la mano en su lugar una hermosa caña con puño de plata, y sus iniciales diciéndole:

—Consérvelo en memoria mía. Hasta la vista, maestro.

El maestro levantó el dedo hacia arriba como indicando que la próxima vez sería en el cielo. Y dejamos de verle, siempre en la misma postura.

Jueves, 20

¡Quién me había de decir cuando aquella hermosa mañana fuimos a ver al señor Groseti que yo habría de estar diez días sin ver el campo! He estado enfermo, en peligro de muerte. He oído sollozar a mi madre, he visto a mi padre muy pálido, a mi hermana Silvia y a mi hermanito que me hablaba en voz baja, al médico de las gafas que me decía cosas que yo no entendía.

He estado bien cerca de decir el último adiós a todo. ¡Pobre madre mía! Hay tres o cuatro días de los cuales no me acuerdo de nada, y ella los ha pasado a mi cabecera.

Recuerdo sí haber visto la cabezota de Garrón, y el hocico de liebre del «Albañilito», y los rizos rubios de Deroso. Por fin comencé a sentirme mejor y oí a Silvia que cantaba. Me visitaron Coreta y Garofi y me regalaron unos boletos para una rifa.

Ayer mientras dormía, entró Precusa, que se limitó a tocarme la manga, porque tenía las manos manchadas de carbón y me dejó una mancha, que yo contemplé con afecto.

¡Qué verdes se han puesto los árboles en poco tiempo! Y qué envidia me dan los chicos a los que veo desde la ventana ir corriendo a la escuela. Estoy impaciente por volver con todos ellos, a mi banco, a mis libros y cuadernos. ¡Qué delgada y desmejorada está mi madre! ¡Y qué aire tan cansado tiene mi padre!

Y pienso también que cuando termine el cuarto año ya no tendré los mismos compañeros. Me separarán de Garrón y de Deroso, de Precusa y de Coreta, y luego seguramente ya no los volveré a ver.

Mi padre me entregó una nota, después de haberle hecho yo estas reflexiones. Decía poco más o menos así:

«El volver a verlos o no dependerá de ti, Enrique. Cuando termines el cuarto año pasarás al bachillerato, y ellos se dedicarán probablemente a algún oficio, pero permaneceréis en la misma ciudad, por lo que, ¿por qué no vas a volver a verlos? Cuando estés en la Universidad, en la Academia, les irás a buscar en sus tiendas o en sus talleres y te dará mucho gusto encontrarlos. ¿Cómo es posible que dejes de ver a Coreta, a Precusa, donde quiera que estén? Tú serás como el oficial en el ejército y ellos como los soldados. Y un buen oficial quiere a sus soldados y los respeta y los ayuda. Piensa que de las venas de los que trabajan salió la sangre que redimió a Italia y la hizo una. Ama a los que estudiaron contigo, porque de ellos y de ti saldrá la nueva Italia. *Tu padre.*»

Sábado, 29

Apenas volví a la escuela, recibí una triste noticia: la madre de Garrón, que estaba enferma, ha muerto. Murió el sábado por la tarde. Ayer por la mañana, cuando entramos, el maestro nos dijo: «Al pobre Garrón le ha caído la mayor desgracia que puede caer sobre un niño. Su madre ha muerto. Mañana volverá a clase. Desde ahora os ruego que respetéis el terrible dolor que destroza su alma y recéis por su madre. Cuando entre, saludadle con cariño y estad serios.»

En efecto, esta mañana, algo más tarde que los demás, entró Garrón. Sentí una gran angustia al verlo. Tenía la cara sin vida, los ojos encendidos y apenas se sostenía sobre las piernas. Parecía como si hubiera estado un mes enfermo. Vestía todo de negro. Apenas entró en la clase, donde su padre lo había traído la primera vez, no pudo contenerse y rompió a llorar inconsolablemente. El maestro lo llevó a su lado y apretándolo contra su pecho, le dijo:

—Llora, llora, pero ten valor. Tu madre ya no está aquí, sino en el cielo y desde allí te ve y te ama. Y allí es donde volverás a verla porque tienes un alma buena y honrada como ella. Ten valor.

Lo acompañó a su banco, cerca de mí. Yo no me atrevía a mirarle. Sacó sus cuadernos y sus libros que hacía muchos días que no había abierto. Al abrir la página en la que hay una madre con su hijo, no pudo contener las lágrimas de nuevo. Yo hubiera querido decirle algo, pero no sabía ni podía. Sólo le dije al oído: «No llores, Garrón.»

No respondió, pero puso la mano en la mía y la retuvo durante mucho rato.

A la salida nadie le habló, todos pasaron junto a él con respeto y en silencio. Yo vi a mi madre que me esperaba y corrí para abrazarla, pero ella me rechazó y me señaló a Garrón, y lo comprendí cuando vi que éste nos miraba. Mi madre había comprendido antes que yo.

Garrón vino también a la escuela. Estaba pálido y tenía los ojos hinchados por el llanto. Apenas miró los regalitos que le habíamos dejado sobre su pupitre. El maestro le había llevado también un libro de lectura para él. Primero nos dijo que fuesemos todos por la mañana a las doce al Ayuntamiento para ver cómo se entregaba la medalla al valor a un muchacho que ha salvado a un niño en el Po, y que el lunes nos dictaría él la descripción de la fiesta en lugar del cuento mensual. Luego volviéndose a Garrón, que estaba con la cabeza baja, le dijo:

—Haz un esfuerzo y escribe tu también lo que voy a dictar.

Cogimos la pluma y él nos dictó:

José Mazzini, que nació en Génova y murió en Pisa, fue un patriota de alma grande, escritor, y primer apóstol de nuestra revolución italiana. Por amor a la patria vivió cuarenta años pobre, desterrado y perseguido. Mazzini, que adoraba a su madre, y que había heredado de ella el valor y los buenos principios, escribía así a un amigo suyo para consolarle de la mayor de las desventuras: «Amigo, no, no verás nunca a tu madre sobre esta tierra. Ésa es la tremenda verdad. No voy a verte porque el tuyo es uno de esos dolores solemnes y santos que es necesario sufrir y vencer cada cual por sí mismo. ¡Es preciso vencer el dolor! Vencer lo que el dolor tiene de menos santo, de menos purificante, lo que en vez de mejorar el alma la rebaja. Aquí, abajo, nada sustituye a una buena madre. Tú no la olvidarás jamás, pero debes recordarla, amarla, entristecerte por su muerte de un modo que sea digno de ella. Porque la muerte no es tal, sino nacer a una nueva vida. Ella te quiere ahora más que nunca. Tú, de ahora en adelante, deberás decirte: ¿Lo aprobaría mi madre?»

—Garrón—añadió el maestro—, sé fuerte. Esto es lo que ella quiere. ¿Comprendes?

Garrón indicó que sí con la cabeza, pero gruesas lágrimas rodaron por sus mejillas.

En lugar del cuento mensual, esta vez se trata de un hecho real. Lo llamaremos:

VALOR CÍVICO

A mediodía estábamos con el maestro ante el palacio municipal para presenciar la entrega de la medalla al valor cívico al muchacho que salvó a un compañerito suyo en el Po. Sobre la terraza de la fachada ondeaba una bandera tricolor.

Entramos en el patio que ya estaba lleno de gente. Se veía al fondo una mesa con un tapete encarnado, encima varios papeles y detrás una fila de sillones dorados para el alcalde y la junta. Varios ujieres estaban en pie alrededor del estrado, con sus dalmáticas azules y sus calzas blancas.

A la derecha del patio estaba formado un piquete de la guardia municipal, todos ellos condecorados, y al lado otro piquete de carabineros. Estaban también los hombres con traje de gala y muchos soldados de caballería sin formar, así como infantes, cazadores, artilleros, que habían venido a presenciar la ceremonia.

Y por último, en los laterales, mucha gente, toda la que había venido a ver la entrega, tanto caballeros como hombres del pueblo. Un gentío inmenso. Cerca de nosotros un grupo de muchachos del barrio del Po, sin duda amigos del que había recibido la medalla.

La banda de música se oía a lo lejos. Las paredes resplandecían con el sol. Todo era muy hermoso.

De pronto todos comenzaron a aplaudir, y yo tuve que empinarme para ver.

El público que estaba detrás de la mesa encarnada había abierto paso a un hombre y una mujer que se colocaron delante del estrado. El hombre llevaba de la mano a un niño.

Era el que había salvado al compañero.

El hombre era su padre, un albañil vestido con el traje de fiesta. La madre, su mujer, era pequeña y rubia, e iba vestida de negro. El muchacho, también rubio y pequeño, llevaba un traje gris.

Al ver a toda aquella gente y oír el ruido de los aplausos, se quedaron los tres tan sorprendidos que no se atrevían a moverse. Un guardia municipal los acompañó al lado derecho de la mesa.

Todos callaron un instante y después resonaron los aplausos de nuevo. El muchacho miró hacia arriba, a las ventanas y luego a las galerías; tenía el sombrero en la mano y parecía que no sabía qué hacer con él. Me recordó un poco a Coreta, pero era más sonrosado. Su padre y su madre no apartaban los ojos de la mesa.

Entre tanto, todos los muchachos del barrio del Po, que estaban cerca de nosotros, pasaron delante y le hacían señas a su compañero para hacerse ver, y le llamaban en voz baja. El muchacho los miró y se cubrió la boca para que no se le viera sonreír.

En un momento dado todos los guardias se cuadraron, y entró el alcalde rodeado de los señores de la junta. El alcalde tenía el pelo canoso y llevaba una faja tricolor. Se puso de pie junto a la mesa y los demás detrás y a los lados.

Cesó la banda de tocar. El alcalde hizo una seña y callaron todos.

Empezó a hablar. Sus primeras frases no las oía bien, pero comprendí que estaba hablando de la hazaña del niño. Después levantó la voz y se esparció tan clara y sonora por el patio que ya pude entender todo lo que decía.

«... Cuando vio desde la orilla al compañero que se agitaba en el río, presa ya del terror de la muerte, se quitó la ropa y acudió sin titubear un momento. Le gritaron: "¡Que te ahogas!" "¡No!", respondió. Intentaron agarrarlo y se soltó. Un momento después estaba ya en el agua.

El río iba muy crecido y el riesgo era tremendo hasta para un hombre. Pero él desafió la muerte con toda la fuerza de su pequeño cuerpo y agarró a tiempo al desgraciado, que estaba ya bajo el agua y lo sacó a flote; luchó furiosamente con las olas, que lo envolvían y con el propio compañero que se le enroscaba al cuerpo. Varias veces desapareció bajo la superficie y volvió a salir, haciendo esfuerzos desesperados y decidido en su noble propósito, no como un niño que quiere salvar a otro, sino como un padre que quiere salvar a su hijo.

En fin, Dios no permitió que fuese inútil una hazaña tan generosa. El pequeño nadador arrebató su presa al gigantesco río y lo sacó a tierra y aun le prestó con los demás los primeros auxilios. Después de lo cual se volvió a su casa, sereno y tranquilo, para relatar el hecho. Señores: hermoso y admirable es el heroísmo de un hombre, pero en un niño, en el cual no es posible aún ninguna mira de ambición o de otro interés, en un niño que debe tener tanto más arrojo cuanto menos fuerza tiene, en un niño que aún nos parece más noble y digno de ser amado, no ya cuando cumple, sino sólo cuando comprende y reconoce el sacrificio de otro, en un niño, el sacrificio ¡es sublime!

No diré más, señores. No quiero adornar con elogios superfluos un hecho tan ejemplar. Aquí, delante de vosotros, tenéis al salvador noble y generoso. Soldados: saludadlo como un hermano. Madres: bendecidlo como a un hijo. Niños: recordad su nombre, y estampad su rostro en la memoria, que no se borre ya de vuestra mente y de vuestro corazón. Acércate, muchacho. En nombre del rey de Italia prendo en tu pecho la Cruz de Beneficiencia.»

Un viva atronador, lanzado a la vez por cientos de voces, atronó el palacio.

El alcalde cogió de la mesa la condecoración y la puso en el pecho del muchacho. Después lo abrazó.

La madre se llevó la mano a los ojos. El padre estaba conmovido.

El alcalde estrechó la mano a los dos y cogiendo la orden de concesión de la cruz, atada con una cinta, se la dio a la madre.

Después se volvió al muchacho y le dijo:

—Que el recuerdo de este día glorioso para ti y tan feliz para tus padres, te sostenga toda la vida en el camino de la virtud y del honor.

El alcalde salió. Tocó la banda y todo parecía concluido cuando de un grupo de gente salió un muchacho de ocho o nueve años, empujado por una señora que se escondió enseguida, y el niño, acercándose al condecorado, lo abrazó.

Volvieron a tronar los vivas, ya que comprendieron que era el chiquillo salvado que acababa de dar las gracias a su salvador. Después de abrazarle le cogió del brazo para acompañarlo fuera. Ellos dos primero, el padre y la madre después, se dirigieron hacia la salida pasando con trabajo por entre la multitud.

Cuando pasaron por delante de los niños de la escuela, todos echaron sus sombreros al aire. Los del barrio del Po prorrumpieron en grandes aclamaciones, agarrándole por los brazos y la chaqueta y gritando: «¡Viva Pinot! ¡Bravo, Pinot!»

Yo le vi pasar muy cerca. Iba muy encarnado y contento. La cruz, que tenía cinta roja, blanca y verde, ondeaba en su pecho. Su madre lloraba y reía. Arriba, por las ventanas de las galerías, seguían asomándose y aplaudiendo. Cuando iban a pasar bajo el pórtico, las huérfanas de los militares arrojaron una verdadera lluvia de flores sobre él. Muchos se agacharon para recoger las flores y dárselas a la madre. Y a lo lejos se oía la banda que tocaba el himno nacional.

Una de las cosas más hermosas que he visto en mi vida.

MAYO

Viernes, 5

Hoy no he ido a clase porque no me encontraba bien, y mi madre me ha llevado al instituto de los niños inválidos para recomendar a una hija del portero, pero no me ha permitido entrar.

«¿No has comprendido, Enrique, por qué no te he dejado entrar? Para no presentar delante de aquellos desgraciados a un muchacho sano y robusto. No puedes imaginarte las escenas que encontré allí. El llanto me llegaba directamente al corazón. Algunos, vistos de pronto, eran hermosos y no parecían tener defectos, pero cuando se fijaba uno mejor, angustiaban al que los ve. Vientres hinchados, articulaciones deformadas... Mientras el médico los examinaba, ellos no parecían preocuparse de sus desnudeces, tan acostumbrados están los pobrecillos a convivir con ellas. Pero, ¿y cuándo comenzaron a darse cuenta de que sus cuerpos se deformaban? Debió ser para ellos un verdadero tormento. Era terrible, Enrique, verdaderamente terrible. Algunos ni siquiera podían levantarse de los bancos, con sus piernas torcidas, o torturadas por los aparatos.

De no haber sido porque tengo mis propios hijos, puedo asegurarte que hubiera pensado seriamente en quedarme allí, entre ellos, para servirles durante el resto de mi vida.

Algunos solo tienen el cuerpo deforme, pero no las inteligencias. Quizá esos sean los que más sufran su terrible destino. *Tu madre.*»

Martes, 9

Si mi madre es buena, mi hermana Silvia tiene su mismo corazón noble y generoso. Estaba yo anoche copiando el cuento mensual, que el maestro nos ha dado a copiar por partes, ya que es muy extenso, cuando Silvia entró de puntillas y me dijo:

—Ven conmigo a donde está mamá. Les he oído esta mañana que estaban preocupados porque a papá le ha salido mal un negocio. Estaba abatido y mamá lo animaba. Estamos pasando un momento de penuria, ¿comprendes? No hay mucho dinero y papá dice que hay que hacer sacrificios para salir adelante. Nosotros también debemos sacrificarnos.

Cuando llegamos a donde estaba mamá, nos colocamos junto a ella y Silvia dijo:

—Tenemos que hablarte los dos, mamá —y cuando mi madre nos miró, extrañada, añadió mi hermana—: Papá no tiene dinero, ¿verdad?

—¿Qué dices? ¿Qué sabes tú? ¿Quién te lo ha dicho?

—Lo sé —aseguró mi hermana muy decidida— y es necesario que nosotros también hagamos sacrificios. Tú me habías prometido un abanico y Enrique esperaba una caja de pinturas. Pues bien, nos pasaremos sin ello. Nada, mamá, lo hemos decidido. ¿No es cierto, Enrique?

Yo dije que sí.

—Y si hay algún otro sacrificio que tengamos que hacer, lo haremos gustosamente. Trabajaré contigo, haré la comida, lo que sea necesario. Estamos dispuestos a todo con tal de que no tengáis disgustos.

No he visto nunca a una madre tan contenta como la mía ante aquellas palabras de mi hermana. Lloraba y nos besaba sin saber apenas qué decir. Luego aseguró a Silvia que había entendido mal, que por fortuna no estábamos tan apurados como creíamos.

Cuando volvió mi padre, por la noche, se lo contó todo y él no abrió la boca. Pero esta mañana, cuando desayunábamos, encontré bajo mi servilleta mi caja de pinturas y Silvia su abanico.

Jueves, 11

Esta mañana estaba yo buscando un tema para mi composición libre, cuando oímos un desacostumbrado ruido en la escalera. Poco después entraban los bomberos en la casa, pidiendo permiso a mi padre para examinar las chimeneas y las estufas, porque se veía humo en los tejados y no se sabía de dónde procedía. Entraron y buscaron por todas partes, escuchando en los tabiques para percibir el ruido que el fuego hace en los tiros de las chimeneas.

—Aquí tienes un buen tema para tu composición, Enrique —me dijo mi padre—. Ponte a escribir lo que voy a relatarte.

«Hace dos años, una noche que salía del teatro Balbo, vi en la calle de Roma un resplandor y mucha gente que corría. Había fuego en una casa, y grandes nubes de humo y llamas salían por las ventanas.

Llegó en ese momento un coche del que bajaron cuatro bomberos y entraron precipitadamente en la casa. No habían hecho más que entrar cuando vimos algo horrible. Una señora se asomó desesperada a una ventana del tercer piso, se agarró al antepecho se subió en él y permaneció así agarrada, casi suspendida en el vacío, con la espalda fuera, bajo el humo y las llamas, que saliendo de la habitación casi le llegaban a la cabeza.

La multitud lanzó un grito de horror. Los bomberos, detenidos en el segundo piso, donde habían tenido que demoler un tabique para llegar a las habitaciones de otros inquilinos, oyeron los gritos de la gente que les avisaba:

"¡Al tercer piso, al tercer piso!"

Subieron rápidamente. Aquello era una ruina infernal, las vigas del techo crujían, los corredores llenos de llamas y el humo que asfixiaba. Para llegar a los cuartos donde estaban encerrados los inquilinos no había otro camino que el tejado. Se lanzaron enseguida hacia arriba y minutos después se vio como un fantasma negro saltar sobre las tejas entre el humo: era el jefe de los bomberos, que había llegado el primero. Pero para ir a la parte del tejado que correspondía al cuartito cerrado por el fuego era necesario pasar por un espacio estrechísimo, comprendido entre el alero y la fachada... Todo lo demás estaba ardiendo y aquel pequeño alero estaba cubierto de nieve y de hielo y no había en él nada a donde agarrarse.

"Imposible que pase", gritaba la gente.

El jefe avanzó sobre el alero del tejado. Todos hablaban y miraban, conteniendo la respiración. "¡Pasó!" Una inmensa aclamación atronó el espacio, y el jefe volvió a emprender la marcha y llegó al punto amenazado.

Empezó a romper furiosamente con el pico tejas, vigas y ladrillos para abrir un agujero y bajar para adentro. Entre tanto la señora continuaba suspendida fuera de la ventana y las llamas le llegaban al pelo ya. Un minuto más y se hubiera arrojado a la calle.

El agujero se abrió y se vio al jefe de bomberos quitarse la guerrera y meterse dentro; los otros bomberos le siguieron. En aquel instante llegaron otros con una escalera que apoyaron en la cornisa de la casa, delante de las ventanas de donde salían llamas y alaridos de gente enloquecida. Los que estábamos mirando, presenciando la tragedia, pensamos que ya era tarde.

"¡Ninguno se salvará! ¡Los bomberos se quemarán! gritaba el gentío.

De pronto vimos aparecer en la ventana de la esquina la negra figura del jefe, iluminada por las llamas de arriba a abajo. La señora se le echó al cuello, él la agarró precipitadamente entre sus brazos, la levantó y la colocó dentro de la habitación. De la multitud se escaparon voces angustiosas.

"Pero, ¿y los demás? ¿Cómo podrán bajar?"

La escalera, apoyada en el tejado, distaba un buen espacio de la ventana. La gente se preguntaba cómo podrían salvarlos, hasta que uno de los bomberos salió fuera de la ventana, puso el pie derecho en el alero y el izquierdo en la escalera y así, de pie en el vacío, fue cogiendo uno a uno a todos los vecinos, mientras los otros bomberos le ayudaban desde dentro. Después se los entregaba a un compañero que había subido desde la calle y que cogiéndolos por la cintura los bajaba uno a uno, ayudado por los bomberos de abajo.

Bajó primero la señora que había estado en peligro, luego un niño, después un anciano y otra señora. Todos se salvaron. Luego descendieron los bomberos que quedaban dentro. El último en bajar fue el jefe. La multitud los acogió con una salva de aplausos, pero cuando apareció el primero de los salvadores, el que había llevado a los demás a afrontar el peligro, el gentío lo saludó como a un triunfador, gritando y extendiendo los brazos en una demostración de cariño y admiración. En pocos instantes su nombre, José Robino, se repetía en todos los labios.»

¿Has comprendido, Enrique? Ése es el valor, el valor del corazón, que a veces no razona, que no vacila, que va derecho, con los ojos cerrados a donde oye el grito de los que están a punto de perecer. Yo te llevaré un día a las maniobras de los bomberos y te enseñaré a Robino. Te alegrarás de conocerlo, ¿verdad?

Respondí que sí.

—Pues bien, aquí lo tienes.

Yo me volví. Dos bomberos, una vez terminado su trabajo, cruzaban la habitación para salir.

—Estrecha la mano al cabo Robino —el cabo se paró y me dio la mano sonriendo; yo se la estreché, me saludó y se marchó.

—Recuerda esto bien, Enrique, porque de mil manos que estreches, quizá no haya diez que valgan más que la suya.

El cuento mensual se llama:

DE LOS APENINOS A LOS ANDES

Hace muchos años que cierto muchacho genovés, de trece años, hijo de un obrero, fue de Génova a América, solo, para buscar a su madre.

Ésta había ido dos años antes a Buenos Aires para ponerse a servir en alguna casa de familia acomodada y ganar así en poco tiempo algo para poder ayudar a su familia, que por causa de sucesivas desgracias había caído en la pobreza y tenía muchas deudas.

No son pocas las mujeres animosas que hacen tan largo viaje con este propósito, debido a los buenos salarios que allí ganan las mujeres que se dedican a servir, y pueden volver a su patria al cabo de algunos años con unos cuantos miles de liras.

La pobre madre había llorado mucho al separarse de sus hijos, uno de dieciocho años y otro de once, pero marchó muy animada y con el corazón repleto de esperanza.

El viaje fue muy feliz. Apenas llegó a Buenos Aires encontró en seguida, por medio de un comerciante genovés, primo de su marido, establecido allí desde hacía bastante tiempo, una excelente familia del país que la daba buen salario y la trataba bien.

Por algún tiempo mantuvo con los suyos una correspondencia regular. Como habían convenido, el marido enviaba las cartas al primo, el cual se las entregaba a la madre y ésta le daba las suyas para que las enviase a Génova, añadiendo algunas líneas por su cuenta. Ganaba un buen sueldo, que enviaba a casa cada tres meses, con lo cual el marido iba pagando poco a poco las deudas más urgentes.

Mientras, él también trabajaba con la esperanza de que pronto pudieran volver a ver a su esposa, a la que echaban de menos, sobre todo el hijo menor, Marcos, que la quería mucho.

Pero transcurrido un año, y después de una carta en la que les decía que no estaba bien de salud, no volvieron a recibir más. Escribieron dos veces al primo y éste no respondió. Escribieron también a la familia, pero como no conocían bien las señas, no tuvieron contestación. Temiendo una desgracia, escribieron al consulado italiano en Buenos Aires, y después de algún tiempo les respondieron que pese a haber publicado un anuncio en los periódicos, nada habían podido saber.

El motivo de que no llegaran las cartas se debía a que la pobre mujer no había dicho a la familia argentina su verdadero nombre, avergonzada por tener que servir.

Pasaron varios meses sin ninguna noticia. Padre e hijos estaban consternados, y el pequeño apenas podía vencer su tristeza. ¿A quién recurrir? La primera idea del padre fue marcharse a América a buscar a su esposa, pero, ¿y su trabajo? ¿Y quién sostendría a sus hijos? El hijo mayor tampoco podía marchar, ya que comenzaba a ganar algún dinero por ese entonces.

Una noche, Marcos, dijo resueltamente:

—Voy a América a buscar a mi madre.

El padre no respondió siquiera. Era algo completamente imposible. ¡A los trece años y solo, hacer un viaje como ése! No, no podía ser. Pero el muchacho insistió, día tras día, razonando como un hombre. «Otros más pequeños que yo han ido. ¿Por qué no yo? Una vez allí no tengo más que buscar la casa del tío. Allí hay muchos italianos, alguno me ayudará a encontrarlo.»

Y así, poco a poco, acabó por convencer a su padre, ya que éste sabía que el niño tenía buen juicio y estaba acostumbrado a las privaciones.

Un comandante de barco, que los conocía y sabía su desgracia, se ofreció a darle un pasaje gratis de tercera para Argentina. El padre consintió. Le dieron algún dinero y un bulto con sus cosas y una hermosa tarde del mes de abril lo embarcaron.

¡Pobre Marcos! Cuando vio desaparecer en el horizonte la hermosa Génova, y se encontró en alta mar con todos aquellos compatriotas, solo, desconocido de todos, le asaltó el desánimo. Permaneció dos días en la proa, abandonado, solo como un perro, y temiendo que todo fuera inútil y que su madre hubiera muerto.

Pasando el estrecho de Gibraltar y ya en el océano Atlántico, cobró un poco de ánimo, pero por poco tiempo. Aquel inmenso mar, que parecía no tener fin, lo abrumaba.

Cada mañana al despertar experimentaba una nueva sorpresa al encontrarse en aquel barco, al ver los peces de colores que caían sobre la cubierta en sus vuelos, las puestas de sol, las fosforescencias nocturnas.

Hubo días de mal tiempo, como siempre, durante los cuales permanecía encerrado en el camarote, en medio de un coro de espantosas imprecaciones y de lloros de los enfermos de mareo.

El viaje no acababa nunca. Mar y cielo, cielo y mar continuamente. Se pasaba las horas apoyado en la borda, aturdido y pensando en su madre, hasta que los ojos se le cerraban y quedaba dormido.

Duró el viaje veintisiete días, y los últimos fueron los mejores. El tiempo, fresco y bueno. Había entablado relación con un viejo lombardo que iba a América a reunirse con su hijo, labrador en Rosario, y el viejo, al que había contado su historia, lo animaba y le decía que encontraría a su madre sana y salva.

Sentado en la proa, junto al viejo que fumaba su pipa, sus pensamientos se hicieron algo más alegres. Se imaginaba llegando a Buenos Aires, encontrando al tío y corriendo en seguida a buscar a su madre... Hasta más allá no llegaba.

Por fin llegaron, una hermosa mañana de mayo. El barco ancló en el hermoso río de la Plata, a la orilla donde se extiende la capital de la República de Argentina.

¡Su madre estaba a pocas millas de él! ¡Dentro de pocas horas podría abrazarla! Y la habría encontrado él solo, sin necesidad de nadie. Tan contento estaba que no concedió siquiera importancia al hecho de que sus ahorros, el dinero del viaje, que había dividido en dos partes, hubiera sido reducido a la mitad a causa de que le habían robado. No le quedaban más que algunas monedas, pero, ¿qué importaba, estando ya tan cerca de su madre?

Con su hatillo al hombro saltó a tierra, con otros muchachos italianos; desde el muelle se dirigió a la ciudad, tras despedirse del viejo lombardo.

En la primera calle que encontró paró a un hombre y le rogó que le indicara la dirección que debía tomar para ir a la calle de las Artes. Por casualidad, había encontrado a un obrero italiano.

—¿Sabes leer?

El muchacho le dijo que sí y el hombre le dijo que fuera derecho, leyendo los nombres de las calles en todas las esquinas y que así acabaría por encontrar la que buscaba.

Era una calle larga, recta y estrecha, con casas bajitas a los lados, llena de gentes y de carros que producían un ruido ensordecedor. A cada esquina veía otras calles que parecían tiradas a cordel. En suma, todo era igual, igual.

Pensó que se podría pasar días enteros e incluso semanas viendo siempre calles como aquéllas. Miraba los nombres de las calles, pero eran raros y le costaba entenderlos. Miraba a todas las mujeres, pensando que podría encontrar a su madre, y una vez vio a una que se le parecía por detrás, pero cuando la alcanzó vio que era una negra.

Por fin llegó a una calle, la de las Artes. Apretó el paso para encontrar el número 171 donde vivía su tío.

Ya estaba cerca. Corrió. ¡Ya iba a ver a su madre, seguro! Llegó a una pequeña mercería, y aquel era el número 171. Se asomó a la puerta y vio a una señora con gafas, que le preguntó en español qué quería. Marcos preguntó si no era aquella la tienda de Francisco Melero.

—Ese hombre murió —respondió ella en italiano. Marcos sintió parársele el corazón.

—Murió hace algunos meses. Le fueron mal los negocios, se marchó a Bahía Blanca y allí murió.

Marcos dijo, lívido:

—Mi madre estaba sirviendo en casa del señor Mezquinez. He venido a América a buscarla.

—Hijo mío, yo no sé nada. Pregúntale al hijo del portero, que conocía al chico que le hacía los recados al señor Melero. Puede que él sepa algo.

Fue al fondo de la tienda y llamó al chico, que llegó enseguida.

—¿Recuerdas al dependiente del señor Melero? ¿Sí? ¿Recuerdas si iba alguna vez a llevar una carta a una mujer que servía en casa de unos señores?

—En casa del señor Mequinez —respondió el chico—. Sí, señora. A lo último de la calle las Artes.

—Gracias, señora —dijo Marcos—. ¿No sabe el número? ¿No podrías acompañarme? Si es preciso te pagaré.

El chico dijo que sí, y casi corriendo fueron hasta el final de la calle, atravesaron el portal de una casa blanca. Marcos llamó a la campanilla y salió una señorita.

—Vivía aquí —respondió a la pregunta de Marcos—, pero ahora vivimos nosotros, la familia Ceballos.

—Pero, ¿adónde han ido?

—A Córdoba.

Marcos preguntó qué había sido de la mujer que servía a los Mequinez y la muchacha dijo que iría a ver si su padre lo sabía. Volvió con un señor alto, de barba gris, que le preguntó en mal italiano si su madre era genovesa.

Marcos respondió que sí.

—Pues bien, la criada genovesa se fue con ellos, estoy seguro. A Córdoba.

Marcos suspiró.

—Entonces... tendré que ir a Córdoba.

—Pero, hijo mío, Córdoba está a cientos de kilómetros de aquí. Éste es un país muy grande, no como el tuyo.

Marcos se quedó pálido como un muerto. El señor le dijo que entrase y que vería si podía hacer algo. Marcos le contó su historia, que el señor escuchó muy atento. Luego le preguntó si no tenía dinero, y Marcos respondió que muy poco.

El señor Ceballos escribió una carta, la cerró y se la dio.

—Ve con esta carta a Boca. Allí hay muchos genoveses. Busca al señor a quien va dirigida esta carta y él te facilitará los medios para ir a la ciudad de Rosario y te recomendará a alguien para que sigas hasta Córdoba. Toma —y le dio algunas monedas—. Anda, hijo, aquí hay muchos italianos y no te abandonarán.

Marcos salió con su hatillo. Al día siguiente, tras de haber dormido en un cuartucho de Boca, se encontró en la popa de una barcaza cargada de frutas que iba a la ciudad de Rosario, conducida por tres robustos genoveses, cuyo acento le dio algunos ánimos a Marcos.

El viaje duró tres días y cuatro noches, que tardaron en remontar aquel maravilloso río de Paraná, junto al cual el Po no es más que un riachuelo. Pasaban islas cubiertas de árboles, antiguos nidos de serpientes y tigres. En muchos lugares no se veía ningún otro barco, y parecía que navegaban por el medio del mar, tan ancho era el río.

Pensaba que aún estaba muy lejos de su madre y ello le atormentaba. ¿Es que no iba a concluir nunca aquel viaje? Dos veces al día comía un poco de pan y carne en conserva, con los marineros, que viéndole triste no le dirigían la palabra. Por la noche alguno de ellos cantaba, y aquellas canciones le recordaban las de su madre cuando le arrullaba de niño. La última noche, al oírlo, se puso a llorar. El marinero le dijo:

—¡Ánimo, chico, valor! Un genovés no llora por estar lejos de su casa. ¡Los genoveses son más orgullosos y están en todo el mundo con la cabeza bien alta!

Aquello le produjo una reacción. Oyó la voz de la sangre genovesa que corría por sus venas y levantó la frente con orgullo. «También yo daré la vuelta al mundo, viajaré aunque sean centenares de kilómetros hasta que encuentre a mi madre. Llegaré a ella aunque sea moribundo. ¡Ánimo!»

Y con esta esperanza llegó una mañana a la ciudad de Rosario, en la ribera del Paraná, cuyo puerto estaba lleno de barcos. Desembarcó y subió a la ciudad, buscando al señor argentino para el que llevaba una recomendación que le había dado su compatriota de Boca.

Le pareció que estaba otra vez en Buenos Aires. Las mismas calles rectas y largas, interminables, con casas bajas y blancas. Anduvo cerca de una hora de aquí para allá, y a fuerza de preguntar logró encontrar por fin la casa de su nuevo destino. Llamó al timbre y salió a abrirle un hombre grueso, rubio, áspero, que le preguntó con acento extranjero qué quería.

Marcos le dio el nombre del señor.

—El patrón —respondió el otro— ha salido anoche para Buenos Aires.

Marcos quedó paralizado, tendió la tarjeta al otro, que la tomó, malhumorado.

—No tengo a nadie más aquí —dijo Marcos desconsolado.

—Pues yo no sé qué hacer. Ya se lo diré dentro de un mes cuando vuelva.

—Pero estoy solo y no tengo nada...

—Márchate. Ya tenemos bastantes pordioseros de tu país aquí. Vete a pedir limosna a Italia.

Y le dio con la puerta en las narices.

Marcos se quedó anonadado. Luego tomó su hatillo con desaliento y salió con el corazón angustiado. ¿Qué hacer? ¿Adónde ir? De Rosario a Córdoba hay un día de viaje en ferrocarril, y le quedaba ya muy poco dinero.

148

Calculando lo que habría de gastar en ese día, no le quedaría casi nada. ¿Cómo pagarse el viaje? Podía, si trabajara, pero, ¿dónde y cómo? ¿Pedir limosna? ¡No! No podía ser insultado y humillado como ahora.

Y al ver aquella interminable calle, sintió que le faltaban otra vez las fuerzas. Se sentó en el hatillo apoyando la cabeza en la pared y se cubrió la cara con las manos, sin llorar. La gente lo pisaba al pasar, y algunos muchachos se paraban a mirarlo.

De su letargo lo sacó una voz que le dijo medio en italiano medio en lombardo:

—¿Qué tienes, chico?

Alzó la cabeza y dijo asombrado: «¿Usted aquí?»

Era el viejo labrador lombardo con el cual había trabado amistad en el viaje por barco. La sorpresa del viejo también fue grande. El chico le contó en pocas palabras lo que le había ocurrido desde que desembarcaron.

—Ahora estoy aquí, sin dinero, y es necesario que trabaje. ¿No podría usted encontrarme un trabajo para pagarme el viaje? Puedo hacer de todo: lavar ropa, barrer las calles, hacer encargos y trabajar en el campo. Me contento con un poco de pan negro para comer.

—Difícil problema —dijo el viejo—. Trabajar... se dice pronto. Vamos a ver... ¿no podrías reunir el dinero entre tantos compatriotas como hay aquí? Ven conmigo.

—¿Adónde?

—Tú, ven conmigo.

Marcos lo siguió y anduvieron juntos un buen trecho, sin hablar. Se detuvieron en la puerta de una fonda que se llamaba «Estrella de Italia». Se asomó y dijo: «Llegamos a tiempo.»

Entraron en una habitación grande, en donde había varias mesas y muchos hombres que hablaban y bebían. El viejo lombardo se aproximó a la primera mesa, donde sus ocupantes estaban muy colorados y voceaban y reían.

—Camaradas. Aquí teneis un pobre muchacho, compatriota nuestro, que ha venido solo desde Génova para buscar a su madre. En Buenos Aires le dijeron que estaba en Córdoba. Ha venido embarcado hasta aquí en tres días y tres noches, con una carta de presentación y ¿qué ha conseguido? Que lo traten mal. No tiene un céntimo, está solo y desesperado. Hagamos algo por él. ¿No ha de encontrar lo necesario para pagar el billete hasta Córdoba? Tiene que encontrar a su madre. ¿Lo dejaremos solo como a un perro?

—¡Nunca! —gritaron todos a la vez, dando puñetazos a la mesa—. ¡Un compatriota es un compatriota! Ven, chico. Cuenta con nosotros, los emigrantes. ¡Vamos, compañeros, aflojad los cordones de la bolsa! ¡Ha venido solo, tan pequeño! ¡Te enviaremos con tu madre, no lo dudes!

La historia del muchacho corrió por toda la taberna. Uno le daba una palmada en la espalda, otro le acariciaba la cabeza y otro le cogía el hatillo para aliviarlo de su peso. Acudieron de otra habitación unos argentinos y en menos de diez minutos el lombardo recogió en su sombrero el dinero suficiente.

—¿Has visto qué pronto se hace esto en América? —dijo el viejo.

Marcos no podía contener los sollozos, y se echó en brazos del viejo.

A la mañana siguiente, al amanecer, había ya salido para Córdoba, animado y lleno de pensamientos halagüeños. El cielo estaba cerrado y oscuro, y el tren casi vacío corría a través de una inmensa llanura, en la que no se veía un alma, sólo pequeños árboles retorcidos, una vegetación oscura, extraña y triste, que daba a la llanura el aspecto de un cementerio.

Dormía a ratos y volvía a despertar, siempre el mismo espectáculo. Las estaciones del camino estaban solitarias, como casas de ermitaños, y cuando el tren se paraba no se oía ni una sola voz. Creía que cada estación iba a ser la última. Una brisa helada le azotaba el rostro. Habiendo embarcado en Génova a fines de abril su familia no había pensado que en América ya era el invierno.

Durmió mucho tiempo. Despertó y se encontró mal. Lo aterraba caer enfermo y morirse en medio del viaje, en aquella llanura solitaria donde su cadáver sería despedazado por los perros y por las aves de presa, como los cadáveres de algunos caballos y vacas que veía de vez en cuando al lado de la vía.

¿Estaba seguro siquiera de encontrar a su madre en Córdoba? ¿Y si no estuviera allí? ¿Y si aquellos señores de la calle de las Artes se hubieran equivocado? ¿Y si hubiera muerto? Con estos pensamientos tristes volvió a adormecerse. Soñó que estaba en Córdoba y llamaba a muchas casas y en todas ellas le decían lo mismo: «No está aquí. No está aquí, no está aquí.»

Se despertó sobresaltado y aterido y vio en el fondo del vagón a tres hombres con barbas, envueltos en mantas de colores, que le miraban mientras hablaban entre sí. Le asaltó la sospecha de que fuesen asesinos y le quisieran matar para robarle el equipaje. Uno de ellos se dirigió a él y, asustado, gritó:

—¡No tengo nada! ¡Soy un pobre niño que viene desde Italia a buscar a su madre! ¡No me hagan daño!

Los viajeros le comprendieron. Tuvieron lástima y le hicieron caricias y le tranquilizaron, con palabras que no entendía. Le echaron encima una manta viendo cómo tiritaba, y, tranquilo, se volvió a dormir. Cuando despertó estaban en Córdoba.

Preguntó a un empleado de la estación dónde vivía el ingeniero Mezquinez, y le dijo el nombre de una iglesia junto a la cual estaba la calle que buscaba. El muchacho echó a correr. Era de noche, y le pareció entrar de nuevo en Rosario, con las calles largas, rectas, franqueadas de pequeñas casas blancas. Pero había muy poca gente y las caras que veía tenían un color desconocido, entre negro y verdoso. Por fin encontró a un sacerdote y pronto estuvo en la iglesia y encontró la casa. Llamó al timbre y se apretó la mano contra el pecho para contener los latidos del corazón.

Una anciana le abrió y le preguntó en español qué quería. Cuando se lo dijo, ella movió la cabeza con aire de disgusto.

—También tú... preguntando por el ingeniero Mezquinez. Ya es hora de que esto acabe. Ya hace tres meses que me molestan con lo mismo. No basta con que lo hayan publicado en los periódicos. ¿Será necesario anunciar en las esquinas que se ha ido a vivir a Tucumán?

Marcos ya estaba helado de frío y de terror.

—¡Me moriré en medio de la calle sin encontrar a mi madre! ¿Cómo se llama ese país? ¡Yo me voy a volver loco! ¿A qué distancia está ese sitio?

—Pobre niño —dijo la vieja compadecida—. Está muy lejos. Está a setecientos u ochocientos kilómetros de aquí, no lo sé bien.

El muchacho se cubrió la cara con las manos. «¿Y ahora, qué hago?», dijo sollozando.

—Yo no lo sé, hijo. Pero, espera, ahora me acuerdo. Volviendo a la derecha por la calle encontrarás en la tercera puerta un patio. Allí vive un comerciante que sale mañana para Tucumán con sus carretas de bueyes. Ve a ver si te quiere llevar, ofrécele tus servicios. Quizá te deje un sitio en el carro.

En dos minutos se plantó Marcos en el patio, tras de dar las gracias. Varios hombres trabajaban en cargar grandes sacos de trigo sobre los carros. Un hombre alto, con bigotes, dirigía la faena. Marcos le expuso lo que le llevaba allí, tímidamente.

—No tengo colocación para ti —respondió el capataz—. Y además, no vamos a Tucumán, sino a Santiago. Desde allí tendrías que andar mucho para llegar.

—Tengo quince pesos y trabajaría, iría a buscar pienso para las bestias y agua... Lo que usted quisiera.

—Es un viaje de veinte días, muy penoso, y tendrás que viajar solo desde Santiago.

—Con tal de encontrar a mi madre soy capaz de todo. Por favor, señor.

El capataz lo pensó. Lo miró a la luz de la linterna y dijo por último: «Está bien».

Por la mañana, a la luz de las estrellas, la larga fila de carros se puso en movimiento. Cuando Marcos se despertó, el convoy estaba detenido en un lugar solitario. Los peones alrededor de una hoguera, en la que se asaba un cuarto de ternera.

Todas las mañanas se ponían en camino a las cinco, paraban a las nueve y volvían a caminar hasta las cinco de la tarde. El muchacho encendía el fuego para el asado, daba de comer a los bueyes, que eran muchos, y acarreaba agua para beber. Pasaban por extensos bosques y

153

grandes llanuras en las que había pueblecitos de pocas casas.

Los peones se hacían cada vez más exigentes con él, y algunos le trataban brutalmente, haciéndole llevar cargas enormes de forraje. Apenas podía dormir, con el traqueteo de los carros.

Extenuado por la fatiga, sucio, maltratado de la mañana a la noche, hubiera caído en el embrutecimiento a no ser porque el capataz de vez en cuando le dirigía una palabra agradable. Una mañana, por no haber acudido a tiempo, uno de los peones le pegó. Desde entonces lo tomaron por costumbre, y además le insultaban. Tres días estuvo enfermo en el carro, con una manta por encima y nadie más que el capataz iba alguna vez a su lado para darle agua. Gracias a esto logró sobrevivir.

Hacía ya quince días que habían salido de Córdoba. Cuando llegaron al lugar en que el camino que iba a Tucumán se separaba del que iba a Santiago, el capataz le dijo que debían separarse y le dio algunas indicaciones respecto al trayecto. Como si tuviera miedo a conmoverse, se despidió de él muy aprisa. El muchacho le besó la mano, y se quedó mirando al convoy que se alejaba.

Una cosa lo animó. A lo lejos veía unas altísimas montañas que le recordaban a los Alpes. Eran los Andes. El aire se hacía más caliente, lo cual también era bueno. A mucha distancia unas de otras, hallaba pequeños grupos de casas en las que encontraba algo para comer, y veía niños y mujeres sentados en el suelo, muy serios, con caras de color de tierra. Eran indios, pero él no lo sabía.

Por la noche sentía miedo, porque había oído decir

que había serpientes, pero recordaba a su madre y continuaba adelante.

Pasaron cuatro, cinco días, una semana. Las fuerzas le faltaban y los pies le sangraban. Por fin, una tarde le dijeron que Tucumán estaba sólo a diez kilómetros de distancia. Dio un grito de alegría y apretó el paso. ¡Su madre estaba cerca!

¡Pobre Marcos! Si hubiera sabido el estado en que estaba su madre, aún hubiera intentado llegar antes hasta ella. Estaba enferma, en la cama, en un cuarto de la casa solariega donde vivía la familia Mezquinez, quienes le habían tomado mucho cariño y la cuidaban muy bien.

La pobre mujer ya estaba delicada cuando salieron de Buenos Aires, y no se había mejorado pese al buen clima de Córdoba. Después, al no recibir de su primo contestación a sus cartas ni noticias de su marido, presintió una gran desgracia, y por último se le había presentado una grave enfermedad: una hernia estrangulada. Desde hacía quince días no se movía de la cama. Precisamente entonces, con Marcos ya cerca, los dueños de la casa estaban junto a ella tratando de decidirla a operarse, única forma de salvar su vida. Un médico afamado de Tucumán había venido a verla, pero ella se negaba.

—No, señores —decía—. No merece la pena. Yo no tengo ya fuerzas y moriría en la operación.

Insistieron una y otra vez, pero ella se resistió. El no saber que era de su marido y de sus hijos, le hacía perder los ánimos cada vez más. No quería vivir.

Los señores permanecían mucho tiempo a su lado, compadecidos de aquella mujer admirable, aquella madre que había venido desde tan lejos para morir allí, sin ver a los suyos de nuevo.

Al día siguiente, por la mañana, entraba Marcos con su hatillo al hombro en Tucumán, tambaleándose, pero lleno de ánimos. Las mismas calles largas, rectas, y las mismas casas pequeñas y blancas que en Buenos Aires y en Córdoba y en todas partes, pero aquí se veía una espléndida vegetación y el aire era perfumado y el cielo azul.

Todos los que se cruzaban con él se le quedaban mirando, pero él no se atrevía a preguntar, hasta que vio en una tienda un letrero en italiano. Entró y vio a un hombre y dos mujeres. Les preguntó si sabían donde vivía el ingeniero Mequinez.

—La familia Mequinez no está en Tucumán —le respondieron.

Un rayo no hubiera producido más efecto en el ánimo de Marcos. Casi se cayó al suelo.

Le preguntaron qué le ocurría y Marcos les explicó parte de la historia.

—Pero no debes preocuparte —le dijeron—. Viven sólo a veinticinco kilómetros de Tucumán, a orillas del Saladillo, donde están construyendo una fábrica de azúcar. Llegarás en pocas horas.

Marcos apenas se atrevía a preguntar si vivía con ellos la genovesa.

—Sí, claro que vive con ellos.

Marcos lanzó un grito de alegría y dijo que se marchaba. Fue inútil que le dijeran que era un día de marcha y que estaba rendido. Sólo pidió que le dijeran por dónde se iba. Saber tan cerca a su madre no le permitía esperar ni un instante más.

Viendo que era imposible convencerlo, le dijeron el camino y le advirtieron que llevara cuidado con los senderos del bosque. Cojeando, emprendió la marcha.

Esa noche fue de extrema gravedad para la enferma. Los dolores y la fiebre le producían delirio y las mujeres que la asistían perdieron la esperanza. La señora, de vez en cuando, venía a verla y movía la cabeza, descorazonada.

Moribunda, la genovesa repetía:

—¡Dios mío! Morir tan lejos, morir sin volverlos a ver... Mis pobres hijos se quedarán sin madre. Mi Marcos, aún tan pequeño y tan cariñoso... Señora, si usted lo conociera... Creí que se me partía el corazón cuando los abandoné. Oh, bendito Dios, no quiero morir.

Luego hablaba de su Génova y del mar, pero siempre volvía a lo mismo: a su Marcos, tan pequeño y que aún la necesitaba. Era inútil que la sujetaran. Se debatía con fuerzas, aunque le suplicaban que estuviera tranquila.

Eran las doce de la noche. Su pobre Marcos, sin que ella lo supiese, caminaba por entre una floresta de árboles gigantescos, semejantes a las columnas de una catedral. Una vegetación lujuriante se enredaba a sus pies. Los troncos de los árboles se le asemejaban a veces serpientes, animales extraños, monstruos terribles.

Estaba muerto de cansancio, los pies le sangraban y sólo encontraba seres vivos como algún búfalo acostado, que le miraba pasar con sus ojos bovinos. La cara de su madre, en el recuerdo, le animaba, le guiaba. Soñaba con su rostro, lo veía, mejor dicho, en su imaginación.

Por fin, aquella noche terrible comenzó a perder negrura. Una claridad se insinuó en las altas copas de los árboles, muchos metros por encima de su cabeza.

A las ocho de la mañana, el médico de Tucumán, un joven argentino, estaba al lado de la enferma, acompañado de su ayudante, intentando persuadir a la enferma de que se dejase operar. Le decía que la operación era sencilla y que le salvaría la vida, pero ella estaba segura de que moriría en la operación y se resistía. «No», decía, «tengo valor para morir pero no para sufrir inutilmente. Gracias, señor doctor, pero, déjeme, por favor.»

El médico, desanimado, desistió. Nadie pronunció una palabra más. La enferma se volvió a su ama.

—Mi querida señora, le voy a pedir el favor de que el dinero que tengo y todas mis cosas las envíe a mi familia. Yo creo que están vivos aún. Me hará el favor de escribirles y decirles que he muerto resignada a la voluntad del Señor, que he muerto bendiciéndoles y que encomiendo a mi marido el cuidado de mi pequeñín, Marcos, que es el más desvalido, y al cual he tenido en mi corazón hasta el último momento.

Cuando volvió en sí, vio que la señora no estaba a su lado. Habían venido a buscarla. No quedaban allí más que las dos enfermeras y el ayudante.

En la habitación contigua se oyeron pasos y murmullos, y exclamaciones contenidas.

La enfermera fijó su vista en la puerta. Al cabo de unos momentos volvió el médico con expresión extraña en aquel semblante. Luego, sus señores, visiblemente alterados. El médico dijo:

—Es mejor hacerlo enseguida.

La enfermera no comprendía.

—Josefa —dijo la señora con voz temblorosa—. Tengo que darle una buena noticia. Prepara tu corazón para recibirla.

La genovesa la miraba sin comprender.

—Una noticia —repitió la señora— que te dará mucha alegría. Prepárate, porque vas a ver a una persona a la que quieres mucho.

La mujer levantó bruscamente la cabeza y miró a su señora, y luego a la puerta, con ojos que despedían fuego.

—Una persona... que acaba de llegar inesperadamente.

—¿Quién es? —gritó con voz angustiada y espantada al mismo tiempo.

Un instante después lanzó un grito. Quiso incorporarse en la cama y luego permaneció inmóvil con los ojos desencajados, y con las manos apretadas contra las sienes, como si estuviese viendo una aparición sobrenatural.

Marcos, extenuado, cubierto de polvo, estaba en pie, junto al doctor, que le sujetaba por un brazo.

La mujer dijo:

—¡Dios mío! ¡Dios mío!

Marcos fue hacia su madre, que le tendía sus brazos descarnados, y la apretó contra su pecho; comenzó a reír y a sollozar todo al tiempo. Pronto ella se rehízo, sin embargo.

—¿Cómo estás aquí? ¿Por qué? ¡Cómo has crecido! ¿Quién te ha traído? ¿Estás solo? ¿No estás enfermo? ¡Eres Marcos, mi Marcos! ¡Dios, Dios mío, sólo puedo estar soñando!

Se volvió al médico como una loca.

—Doctor, señor doctor, enseguida. Quiero curarme. Estoy dispuesta para que me operen. Llevénse a Marcos para que no sufra. Dame otro beso y estoy dispuesta, señor doctor.

El señor Mequinez intentó llevarse a Marcos, pero éste se resistía preguntando qué le iban a hacer a su madre.

El ingeniero se lo explicó, con palabras cariñosas, tratando de llevárselo de allí, pero él se resistía. De pronto se oyó un agudo grito y el niño murmuró palideciendo:

—¡Ha muerto!

—No —anunció el médico apareciendo—, se ha salvado.

Y cogiéndolo entre sus manos le dijo:

—Levántate, hijo mío. Has sido tú quien la ha salvado; tú, niño heroico, eres quien ha salvado a tu madre.

Miércoles, 24

Marcos, el pequeño genovés, es el penúltimo pequeño héroe que hemos conocido este año. No queda más que otro para el mes de junio. Solamente nos quedan dos exámenes mensuales, veintiséis días de clase, seis jueves, cinco domingos... En la atmósfera se puede percibir ya el fin del curso. Los árboles del jardín, cubiertos de hojas y flores, dan hermosa sombra sobre los aparatos de gimnasia.

Los alumnos van todos ya vestidos de verano. Da gusto presenciar la salida de las clases, y ¡qué distinto todo de los meses ya pasados!

Han desaparecido de las cabezas los cabellos largos y todos llevan el pelo cortado al rape. Los cuerpos se han despojado de las prendas de abrigo y se ven sombreros de paja con cintas de colores. Los pequeñines —hasta los más pobres— llevan trajes de vivo colorido.

Muchos vienen a la escuela sin sombrero. Otros, con el traje de gimnasia, y otros vestidos de marinero. Pero sin duda el que más llama la atención es el «Albañilito», que usa un sombrero de paja tan grande que parece una media vela con su palmatoria, y, como siempre, es imposible contener la risa al verle poner su hociquito de liebre... Coreta también ha dejado su gorra de piel de gato y Votino tiene un traje escocés, eso sí, tan atildado como siempre. Grosi enseña el pecho casi desnudo, y Precusa desaparece bajo los pliegues de una blusa azul de herrero. ¿Y Garofi? Ahora que se ha despojado de su capote de comerciante, deja bien al descubierto sus innúmeros bolsillos repletos de toda clase de mercancías.

Es la estación de las cerezas, de las mariposas, de la música por las calles y los paseos por el campo. Algunos del cuarto año se escapan ya para bañarse en las orillas del Po y todos sueñan con las vacaciones. Solamente da pena ver a Garrón de luto y a mi pobre maestra de primer año, cada vez más delgada, y tosiendo con más fuerza. Camina como una anciana, encorvada.

Viernes, 26

Una nota de mi padre, hablándome de la escuela, y de su poesía, con palabras conmovedoras. ¡Qué sensible es y cómo comprende las cosas que nosotros sentimos, pero que no sabemos expresar! Sobre todo cuando me habla de los padres y las madres que miran las notas de sus hijos, pareciéndoles a veces poco y a veces enorgulleciéndose de las obtenidas.

Domingo, 28

El mes de mayo ha terminado con una visita que hemos tenido esta mañana. Oímos un timbrazo y corrimos hacia la puerta. Oí a mi padre que decía maravillado:

—¿Usted aquí, Jorge?

Era Jorge, en efecto, nuestro jardinero de Chieri, que ahora tiene su familia en Condove y que acababa de llegar de Génova, donde había desembarcado el día antes de vuelta de estar trabajando tres años en Grecia, en las líneas ferroviarias. Está un poco envejecido, pero conserva su cara colorada y jovial de siempre.

Mi padre quería que entrase en casa, pero él se negó y preguntó por su familia.

—Hace pocos días estaba muy bien —respondió mi madre.

—Oh, alabado sea Dios. ¡No tenía valor para presentarme en el colegio de sordomudos sin noticias de mi hija Luisa! Dejo aquí el saco y voy a recogerla. ¡Tres años hace que no veo a mi pobre hija y a mi familia!

Mi padre me pidió que lo acompañase, le preguntó cómo le había ido el trabajo.

—Bien, he traído algunos ahorros, pero lo que me interesa más es cómo va la instrucción de mi Luisita, la muda. Cuando la dejé parecía un pobre animalito. ¡Infeliz! Yo, sabe usted, tengo poca fe en esos colegios. Mi mujer me escribe: «Hace progresos, aprende a hablar», pero yo me decía: ¿Qué importa que sepa hablar si yo no conozco el lenguaje de los signos que emplean los mudos? ¿Cómo haremos para entendernos con la chiquitina? ¿Qué tal va, dígamelo, por favor?

Mi padre respondió sonriendo que no le diría nada, ya que él mismo lo iba a ver con sus propios ojos.

El instituto está cerca. Por el camino, el jardinero me iba hablando y cada vez estaba más nervioso y triste.

—Pobre Luisa. Nacer con esa desgracia. Decir que jamás le he oído llamarme padre y que ella jamás me ha oído llamarla hija. Y gracias a ese señor caritativo que ha costeado el colegio. Tiene ahora once años... ¿Estará crecida? ¿Tendrá buen humor?

—Ahora lo verá usted mismo —le repetía yo acelerando el paso.

Precisamente estábamos llegando. Entramos en el locutorio y vino el portero a nuestro encuentro. El jardinero se presentó y preguntó por su hija. El portero le dijo que estaban en el recreo y que iba a decírselo a la maestra.

El jardinero no podía ni hablar ni estarse quieto. Se abrió la puerta y entró una maestra, vestida de negro, con una niña de la mano. Ésta última iba vestida de tela rayada de blanco y encarnado, y era más alta que yo. Lloraba y se echó en brazos de su padre.

Éste la apartó para mirarla de pies a cabeza, tan agitado como si acabase de correr una distancia.

—¡Cómo ha crecido y qué guapa se ha puesto! ¡Mi pobre mudita! ¿Es usted la maestra, señora? Dígale que me haga los signos, que poco a poco ya iré aprendiéndolos yo.

—¿Quién es este señor que ha venido a verte?

Y la niña, con una voz gruesa, extraña, destemplada como un salvaje que hablase por primera vez nuestra lengua, respondió:

—¡Es-mi-padre!

El jardinero dio un paso atrás y comenzó a hablar como un loco.

—¡Habla! ¡No es posible! Pero, ¿cómo puedes hablar, niña mía?

La abrazaba, la besaba...

—Pero, ¿no hablan con gestos, señora?

—No, señor Vogi, no lo hacen con gestos. Ése era el método antiguo. Ahora se les enseña a hablar por un método nuevo, por el método oral. ¿No lo sabía usted?

—No lo sabía. Hace tres años que estoy fuera, quizá me lo hayan escrito, pero no lo he entendido. Entonces... ¿comprendes lo que te digo, hija mía? ¿Me oyes?

—No —respondió la maestra—. Su voz no la oye porque ella es sorda, pero comprenderá por los movimientos de nuestra boca cuáles son las palabras que se le dicen. Las pronuncia porque se lo hemos enseñado, letra por letra, cómo debe poner los labios y la lengua, la garganta y el pecho.

El jardinero, admirado, no comprendía nada. Preguntó a su hija si estaba contenta de verlo, y la niña, pensativa, no respondió.

—No, mire —dijo la maestra—. No ha visto los movimientos de sus labios y por tanto no puede entenderlo. Usted le ha hablado al oído. Hágalo frente a ella y repita la pregunta.

Así lo hizo Jorge, y la muchacha respondió:

—Sí-es-toy-con-ten-ta-de-que-ha-yas-vuel-to-y-de-que-no-te-mar-ches-nun-ca-más.

El padre, asombrado, sin dar crédito a sus oídos, le preguntó el nombre de la madre, y de la hermanita y del colegio. Ella respondió a todo con aquella voz extraña. Incluso respondió a algunas preguntas de aritmética. Jorge se echó a llorar, pero de alegría. Luego besó la mano a la maestra, la cual le dijo que la niña no sólo sabía hablar, sino escribir, hacer cuentas, historia y geografía. Y que cuando fuera mayor podía colocarse en el comercio, como ya muchos de los alumnos habían conseguido.

Luego, hizo venir a una niña que estaba aprendiendo

y delante del jardinero y de mí nos hizo una demostración de cómo se enseñaba a hablar a una persona que jamás ha oído un sonido. Ponía la mano de la niña en su propia garganta y pronunciaba una letra; luego, la niña debía repetirla.

El jardinero había comprendido.

—Pero... ¡ustedes son unas santas, señora! Así, día tras día, con una y con otra, ¡qué paciencia, Dios mío!

Luego, la maestra le dijo que cada niña tenía otra mayor que en realidad hacía de madre, que la ayudaba a vestirse, a actuar, a todo, y el jardinero quiso conocerla para darle las gracias.

Así lo hizo y luego Jorge quiso dejar una moneda de oro, duramente ganada, para beneficio del colegio, pero no le fue aceptada.

Por último, se despidió con lágrimas en los ojos. Pocas veces he visto un hombre tan feliz.

JUNIO

Sábado, 3

«Hoy es día de luto nacional: ha muerto Garibaldi. ¿Sabes quién era? El que liberó diez millones de italianos de la tiranía de los Borbones. Ha muerto a los setenta y cinco años. A los ocho años ya salvó la vida de una mujer, a los trece puso a salvo una barca llena de compañeros náufragos, a los veintisiete a un joven que se ahogaba y a los cuarenta y uno evitó el incendio de un barco. Combatió diez años en América por la libertad de un pueblo extranjero. Luchó en tres guerras contra los austríacos y defendió Roma contra los franceses en 1849. Entró en combate cuarenta veces y salió victorioso en treinta y siete. Cuando no peleaba, trabajaba cultivando la tierra por sí mismo, en una isla. Fue maestro, minero, negociante, soldado, general y dictador. Odiaba a los opresores, amaba a todos los pueblos, y arrastró tras de sí a obreros, señores y campesinos. En la guerra usaba una blusa roja. Era fuerte, rubio y apuesto.

Leerás sus hazañas según te vayas haciendo mayor y te sentirás como resplandecer cuando pronuncies su nombre. *Tu padre.*»

Domingo, 11

Hemos ido a la plaza del Castillo para ver la revista de los soldados ante el comandante del cuerpo de Ejército. Según desfilaban, mi padre me los iba mostrando y nombrando. Iban primero los alumnos de la Academia, que serán oficiales de ingenieros y artillería. Luego pasó la infantería: la brigada de Aosta, la de Bérgamo. Después los soldados de ingenieros, los obreros de la guerra. Luego los alpinos, en filas apretadas, con los gorros emplumados: ésos son los defensores de nuestras fronteras. Pero pronto un ruido infernal se elevó en el aire, por encima de la música de las bandas: llegaba la artillería de campaña, con sus armones arrastrados por caballos, y los largos cañones de bronce. Después la artillería de montaña, y por último, espléndido, el regimiento de caballería de Génova. Mi padre me dijo:

—El ver un ejército desfilando nos emociona, pero también nos debe hacer reflexionar. Esos jóvenes gallardos que desfilan ante ti, pueden un día estar tirados en un campo de batalla, destrozados, muertos, mutilados. Recuerda siempre: si todos cumpliésemos nuestros deberes de cristianos, no habría guerras y se evitarían sus horrores.

Viernes, 16

Después de la fiesta nacional, el calor está haciendo de las suyas. Hemos tenido hastra treinta y dos grados. Todos estamos ya cansados. Nelle se queda dormido encima del cuaderno, pero Garrón, siempre atento, lo despierta dulcemente. Nobis se lamenta de que somos demasiados y viciamos el aire. Hay que hacer un esfuerzo tremendo para poder estudiar. Mi madre me mira cuando salgo para la escuela y al verme pálido se preocupa, y me dice que ya faltan pocos días.

Deroso en cambio está como siempre. ¡Lo admiro! Pero el más valiente sin duda es Coreta, que se levanta a las cinco para ayudar a su padre. Ayer se quedó dormido y el maestro lo llamó varias veces, irritado. El hijo del carbonero, que vive junto a Coreta, se puso en pie y le dijo al maestro lo que ocurría. El señor Perbono le dejó dormir, y cuando acabó la lección le sopló una oreja. Coreta se despertó, presintiendo una regañina, pero el maestro le dijo:

—No te regaño. Tu sueño no es el de la pereza, sino el del cansancio. Vete a casa, hijo mío.

Lunes, 19

Mi padre me ha permitido ir al campo con el padre de Coreta, el vendedor de leña y antiguo soldado. Hemos ido Garofi, Garrón, Coreta, Deroso y yo, además de Precusa. Fuimos en autobús hasta las colinas y lo pasamos estupendamente. Llevábamos vino blanco y tinto, pan, salchichón, huevos duros y fruta.

Corrimos por el monte, cruzamos los arroyos y estábamos contentísimos, excepto Garrón, que desde que murió su madre no ha vuelto a ser el mismo.

A la hora de comer estábamos rendidos de tanto jugar y comer. El padre de Coreta nos fue cortando buenas lonchas de salchichón servidas en hojas de parra y calabaza. Nos contaba qué bueno era su hijo, y mientras tanto no dejaba de darle tientos a la bota de vino. Luego dijo:

—Es una lástima. Ahora estáis todos reunidos, como buenos amigos, pero dentro de unos años ¡quién sabe! Deroso y Enrique serán abogados o profesores, y vosotros cuatro trabajaréis como obreros o en un comercio, quién sabe. Entonces, ¡adiós camaradas!

—¿Qué dice usted? —preguntó Deroso—. Para mí Garrón siempre será Garrón, y Precusa y los demás lo mismo, aunque yo fuera rey no cambiarían mis sentimientos hacia ellos.

—Bendito seas, muchacho —y bebió más vino—. Venga esa mano. ¡Vivan los buenos compañeros y viva la escuela que crea una sola familia entre los que tienen y los que no tienen! ¡Y viva el regimiento 49!

Volvimos un poco más tarde y cuando llegué a mi escalera, encontré a mi pobre maestra, que al momento no me reconoció, porque estaba un poco oscuro. Luego, me dijo:

—Adiós, Enrique, ¡acuérdate de mí!

Iba llorando. Mi madre me dijo que la maestra iba a acostarse, porque estaba muy mal.

Domingo, 25

Hemos estado en el teatro de Víctor Manuel para presenciar la entrega de premios a los artesanos. ¡Hermoso espectáculo! El patio estaba ocupado por los coros de alumnos y alumnas, que entonaron un himno a los soldados muertos en Crimea, y que fue aplaudido a rabiar.

El alcalde, el gobernador y otras autoridades entregaban los premios a aquellos que los habían merecido. Entre ellos estaban naturalmente los adultos de la escuela nocturna y allí vi a un hombrón enorme, el albañil, al que su hijo contemplaba poniendo hociquito de liebre para dominar su emoción, porque su padre había ganado el segundo premio.

Allí desfilaban barrenderos, obreros y obreras, limpiabotas, carpinteros, albañiles, de toda clase y edades. Un pequeño deshollinador ganó un hermoso libro rojo y estaba tan emocionado que no sabía qué hacer con él. Todos lo vitorearon. Había incluso un viejo con la barba y el cabello completamente blancos. Los que no habían podido entrar, esperaban a los suyos con alegría, y los veían salir con sus diplomas, orgullosos. Era maravilloso, de veras, y muchas mujeres incluso lloraban.

No hubo ninguna risa, eso no, porque todos estaban orgullosos de ver aquellos trabajadores, que, a costa de esfuerzo y robándole horas al sueño, se habían dejado los ojos con los libros.

Martes, 27

Mientras se efectuaba el reparto de premios, mi pobre maestra agonizaba. Murió a las dos. El director estuvo en clase ayer por la mañana para darnos la noticia. «Todos los que habéis sido alumnos suyos sabéis lo buena que era y cuánto quería a los niños. Una terrible enfermedad la consumía desde hace mucho tiempo. Tal vez si no hubiese tenido que ganarse el pan con su trabajo, se hubiera curado. Pero quiso estar con sus niños hasta el último momento. El día anterior se despidió de todos, porque sabía que no los volvería a ver. Los besó y se fue sollozando.» Precusa, que había sido alumno suyo se echó a llorar.

Después de la clase fuimos todos a la casa mortuoria para acompañar el cadáver a la iglesia. Había mucha gente, maestros y niños de todas las escuelas, pero sobre todo sus antiguos alumnos y los de su clase. Sobre el ataúd había muchos ramos y coronas de flores. Bajaron la caja y cuando algunos niños vieron el féretro se echaron a llorar y uno gritó como si sólo en ese momento se diera cuenta de que su profesora había muerto. Tuvieron que llevárselo para evitar que se pusiera enfermo.

Se puso en marcha el cortejo. Mucha gente se asomaba a las puertas y ventanas y decían: «Es una maestra.»

Ha dejado a sus alumnos sus pocas cosas. A uno el tintero, a otro un cuadrito, a otro algún libro. Adiós, amiga maestra, adiós tú, que tanto hiciste por mí cuando era tan pequeño. Adiós.

Miércoles, 28

Mi pobre maestra ha muerto tres días antes de terminar las clases. Ni siquiera ha podido ver el final del curso. Pasado mañana iremos a clase para escuchar el último cuento mensual y... ¡se acabó! El sábado, 1 de julio, los exámenes.

Otro año más que se va. Hemos pasado al cuarto curso. Me parece que he aprendido bastante en estos meses. Escribo mejor que antes, comprendo con más claridad las cosas. Muchos me han ayudado y sé a quién debo dar las gracias, pero sobre todo a mi maestro, que ha sido tan afectuoso e indulgente conmigo. Doy las gracias a Deroso, mi admirable compañero; a Estardo, fuerte y con voluntad de hierro; a Garrón, generoso y bueno; a Precusa y Coreta que me han dado ejemplo de valor y serenidad. Y con ellos doy también las gracias a todos los demás.

A ti, padre mío, a ti, mi primer maestro y mi primer amigo, que me has aconsejado y enseñado tantas cosas, mientras trabajabas para mí ocultándome tus tristezas y tratando de hacerme fácil el estudio.

Y a ti, querida madre, por la ternura que pusiste en mi alma durante doce años de sacrificios y de amor.

El cuento mensual, el último ya, se llama:

NAUFRAGIO

Hace muchos años, cierta mañana del mes de diciembre, zarpaba del puerto de Liverpool un buque que llevaba a bordo más de doscientas personas, entre ellas setenta hombres que componían la tripulación.

El capitán y casi todos los marineros eran ingleses, pero entre los pasajeros había varios italianos. Tres eran caballeros, otro un sacerdote y los demás una compañía de músicos.

El rumbo era hacia la isla de Malta, y el tiempo bastante malo. Amenazaba borrasca.

En la tercera clase, a proa, había un chiquillo italiano de unos doce años, pequeño, pero robusto, con hermoso rostro siciliano. Estaba solo, sentado sobre un rollo de cuerdas, junto al trinquete, y al lado de una usada maleta que contenía todo su equipaje.

Tenía el cabello y los ojos negros, y vestía pobremente con una manta destrozada sobre los hombros para librarse del cruel frío, y de sus hombros colgaba una bolsa de cuero.

Tendía la mirada pensativamente a su alrededor, contemplando al barco, a los pasajeros y a los marineros que pasaban corriendo. Pero sobre todo miraba al inquieto mar.

Viendo su rostro, cualquiera podría comprender que acababa de experimentar una gran desgracia familiar, ya que era la cara de un niño y la expresión de un hombre.

Poco después de zarpar el barco, uno de los marineros, que era también italiano, con el cabello gris, apareció a proa llevando de la mano a una niña. Se paró ante el pequeño siciliano y le dijo:

—Mario, aquí tienes una compañera de viaje.

Y se marchó. La niña se sentó sobre el rollo de cuerdas al lado del chico y fijó en él sus ojos.

—¿Adónde vas tú? —preguntó Mario.

—A Malta, pasando por Nápoles —respondió ella. Luego añadió:

—Me llamo Julia Faggiani y voy a buscar a mis padres, que me esperan.

El chico permaneció callado un buen rato. Luego sacó de su bolsa pan y frutas secas y se las ofreció a la niña. Compartieron la comida y al terminar la niña sacó unos bizcochos.

El marinero italiano pasó junto a ellos, gritando que comenzaba la danza.

En efecto, el viento era más fuerte y el barco navegaba con dificultad creciente. Afortunadamente ninguno de los dos muchachos se mareó, ni sentía miedo. Incluso Julia sonreía de vez en cuando.

Debía tener la misma edad que su compañero, pero era más alta, morena, delgada y con aspecto enfermizo. Vestía muy modestamente y tenía el cabello corto y rizado, cubierto con un pañuelo. En las orejas lucía zarcillos de plata.

Mientras comían habían hablado de sus propias vidas. El muchacho era huérfano. Su padre, un obrero emigrado, había muerto en Liverpool pocos días antes, dejándolo solo, y el cónsul italiano le había mandado a su país de vuelta, a Palermo, donde aún le quedaban algunos parientes.

Julia había sido llevada a Londres el año antes, con una tía suya, viuda, que la quería mucho, y a la que sus padres, que eran muy pobres, se la habían dejado por una temporada, confiados en que heredaría de aquella tía.

Pero pocos meses después la tía había muerto, atropellada por un coche, sin dejar un céntimo, y ella había recurrido al cónsul, que le había pagado el pasaje hasta Italia. Daba la casualidad de que ambos habían sido encomendados al marinero italiano.

—Así que —concluyó Julia— mis padres creían que volvería rica y es al contrario, vuelvo más pobre que antes. Pero a pesar de todo mis padres me quieren mucho y mis hermanos también. Tengo cuatro hermanos, todos ellos más pequeños que yo, y les ayudo en sus cosas, a vestirse y todo eso.

Quedó pensativa un momento.

—¡Qué alegría tendrán al verme! Entraré de puntillas y les daré una sorpresa. Pero, ¡qué terrible está el mar!

—Sí.

—Y tú, Mario, ¿vas a vivir con tus parientes?

—Sí, si es que ellos quieren, que no lo sé.

—¿No te quieren?

—No lo sé, ya que apenas los conozco.

—Yo cumplo treces años en Navidad —dijo ella.

Luego siguieron charlando del mar y de la gente que tenían a su alrededor. Durante todo el día estuvieron juntos, cambiando de vez en cuando alguna palabra o una frase. Los pasajeros que pasaban junto a ellos creían que eran hermanos.

Julia hacía punto de media, pero el muchacho estaba preocupado. El mar seguía tormentoso, revuelto y con gran oleaje.

Por la noche, en el momento de separarse para ir a dormir, Julia le dijo a Mario:

—Te deseo que duermas bien.

El marinero italiano, que pasaba corriendo junto a ellos en ese momento, respondió.

—¡Pobres críos! Creo que nadie va a dormir bien esta noche.

En el momento en que el niño iba a decir algo, un golpe de mar le lanzó contra un banco violentamente.

—¡Te has hecho sangre! ¡Estás herido! —gritó la chiquilla.

Los pasajeros, que corrían hacia abajo, no les hacían caso alguno. La niña se arrodilló junto a Mario, que estaba atontado por el golpe. Le lavó la frente, que le sangraba, y quitándose el pañuelo se lo ató alrededor de la cabeza. Al hacerlo, le quedó una mancha de sangre en el vestido amarillo.

Mario se repuso pronto y se puso en pie.

—¿Te sientes mejor?

—No ha sido nada, chica.

—Pues entonces... te deseo que duermas bien.

—Buenas noche, Julia.

Y bajaron por la escalera para dirigirse a sus respectivos dormitorios.

El marinero había acertado.

No habían logrado aún dormirse, cuando la tormenta llegó. Fue un golpe inesperado de olas enormes, que en pocos momentos truncaron un mástil, y se llevó tres de las barcas que estaban colgadas en sus grúas como si hubieran sido hojas secas.

En el interior del barco había una terrible confusión, y la gente había comenzado a asustarse. Un griterío se elevó, unido a los llantos y plegarias. El ruido ponía los pelos de punta.

Durante toda la noche, la tempestad continuó, cada vez más fuerte. El amanecer, en lugar de traer la calma, agudizó aún los embates del mar y el fuerte viento.

Olas formidables azotaban al barco por los costados, amenazando tumbarlo, rompían sobre cubierta, destrozando todo a su paso.

La plataforma que cubría la máquina se rompió y el agua se precipitó dentro con furia espantosa. Las calderas se apagaron al instante, lanzando nubes de vapor, y los maquinistas escaparon. El agua penetraba por todos los huecos.

Una voz tonante gritó:

—¡A las bombas!

Los marineros se precipitaron para achicar con las bombas, pero un nuevo golpe de mar, rompiendo por la popa, destrozó parte del casco y escotillas, y lanzó una tromba de agua al interior.

Todos los pasajeros, horrorizados, presas de terror, se habían refugiado en la sala común.

Al cabo de un momento apareció el capitán.

—¡Comandante! —gritaron doscientas voces—. ¿Hay esperanzas? ¡Sálvenos!

El capitán esperó a que dejasen de gritar y dijo:

—Resignación.

Una mujer lanzó un agudo alarido.

—¡Piedad! ¡Piedad para nosotros!

Nadie pudo hablar. El terror los había convertido en estatuas. El silencio duró un tiempo que se les antojó un siglo. Se miraban unos a otros, rezaban en voz baja o se santiguaban.

El mar estaba cada vez más enfurecido, y el barco se movía como un cascarón sobre las olas, que jugaban con él.

En cierta ocasión, el capitán ordenó lanzar al agua una lancha y cinco marineros entraron en ella, pero las olas la volcaron. Dos se hundieron: uno de ellos era el italiano. Los otros, a costa de grandes esfuerzos, lograron trepar de nuevo a bordo por las cuerdas. Después, se perdió toda esperanza.

Dos horas más tarde, el barco embarcaba agua hasta la borda.

Sobre cubierta, el espectáculo era dantesco. Las madres estrechaban a sus hijos fuertemente contra su pecho, los amigos se abrazaban y se despedían unos de otros. Había quien bajaba a su camarote para morir, otros se agarraban frenéticamente a cualquier cosa. Algunas mujeres eran presa de convulsiones histéricas.

Un sacerdote había reunido en torno a sí un grupo de personas, que se arrodillaban. Un coro de sollozos y plegarias subía al cielo.

Mario y Julia, entre tanto, agarrados a un mástil, miraban al mar con ojos muy abiertos.

El mar pareció aquietarse un poco, pero el barco se hundía lentamente...

—¡Lancha al agua! —rugió el capitán.

Una chalupa, la última que quedaba, fue botada y catorce marineros y tres pasajeros bajaron a ella.

El capitán permanecía a bordo, sobre el puente.

—¡Baje, comandante! —le gritaron.

—Éste es mi puesto —respondió.

—¡Encontraremos algún barco! ¡Baje! ¡El barco se hunde!

Alguien gritó que aún había un sitio en la lancha.

—¡Que baje una mujer!

Una señora avanzó, sostenida por el capitán, pero cuando vio la distancia a que se hallaba la chalupa, no tuvo valor para dar el salto. Casi todas las demás mujeres estaban desmayadas en cubierta y las demás dentro del barco.

—¡Un muchacho, entonces! —gritó el marinero desde el bote.

Al oír ese grito, Mario y Julia, que habían permanecido juntos, cogidos de la mano, atontados, despertaron de pronto y se soltaron del palo. Ambos se lanzaron a la barca gritando: «¡Yo!», tratando cada uno de ellos de apartar al otro, como si fueran dos fierecillas.

—¡El más pequeño! —gritaron los marineros—. ¡La barca está muy cargada! ¡El más pequeño!

Al oír aquella palabra, Julia, como herida por un rayo de súbita lucidez, dejó caer y permaneció inmóvil, mirando hacia Mario con ojos mortecinos.

Mario la devolvió la mirada, vio la mancha de sangre

sobre el pecho de su amiga, sangre que había sido suya, y se acordó de lo que había hecho por él. Una chispa brilló en sus ojos.

—¡El más pequeño! —seguían gritando los marineros— nos vamos.

—¡Ella es la más pequeña! ¡Tú, Julia, salta! ¡Tú tienes padres y hermanos! ¡Yo soy solo! ¡Vamos, salta!

—¡Échala al mar! —gritaron los marineros—. Nosotros la cogeremos.

Mario agarró a Julia por la cintura y la tiró al mar. La chiquilla lanzó un grito y cayó al agua. Un marinero la levantó con su robusto brazo.

Mario permaneció derecho, sobre la borda, con la frente alta, el cabello flotando al aire, inmóvil.

La barca se puso en movimiento y apenas tuvo tiempo de escapar del remolino que producía el buque al irse hundiendo, y que amenazaba volcarla.

Entonces, Julia, que había estado hasta ese momento conmocionada, alzó los ojos hacia el chico y comenzó a sollozar.

—¡Adiós, Mario! —gritó, tendiéndole los brazos—. ¡Adiós, adiós!

—Adiós —respondió Mario levantando la mano al cielo.

La barca se alejaba ya velozmente, bajo el oscuro cielo y sobre el mar encrespado. Nadie gritaba ya en el buque. Luego, Mario cayó de rodillas y con la mirada en alto, ofreció al cielo su sacrificio.

Julia se tapó la cara con las manos. Cuando las separó, y miró a su alrededor, el barco había desaparecido.

JULIO

Martes, 4

Ya estamos en los exámenes. Alrededor de la escuela, en las calles, no se oye hablar de otra cosa a los chicos y sus padres, y hasta a las niñeras. Exámenes, calificaciones, temas, suspensos, notables, sobresalientes... Las mismas palabras se repiten incansablemente. Hoy por la mañana nos examinamos de composición y por la tarde de aritmética.

Los padres daban a sus hijos los últimos consejos y muchas madres incluso los llevaban hasta sus bancos para comprobar que había tinta en los tinteros, mirar si la pluma escribía bien y ya en la puerta se volvían para recomendarles ánimo y tranquilidad.

El examinador era Coato, ese profesor de las barbas negras que muge como un toro y amenaza mucho pero jamás castiga. Había muchachos cuyas caras estaban pálidas. Cuando el maestro rompió el sobre cerrado que contenía el problema, no se oía el vuelo de una mosca. Luego Coato leyó el enunciado, mirándonos uno a uno severamente. Pero conociéndolo sabemos que si hubiera podido ayudarnos a todos lo hubiera hecho.

Tras una hora de trabajo, algunos comenzaron a desesperarse, porque el problema era difícil. Grosi se pegaba con los puños en la cabeza, y no era el único, aunque algunos no tuvieran la culpa: no habían podido estudiar lo suficiente por muchas causas.

Pero había que ver a Deroso en acción. Ayudaba a todos, pasaba de mano en mano una cifra, un resultado, sin que lo descubriesen. Garrón, también fuerte en aritmética, echaba una mano al que no sabía. Hasta Nobis, que se encontraba en apuros, se había vuelto más educado.

El maestro recomendaba:

—Calma, calma, sin apresurarse, que hay tiempo.

Mirando por la ventana podía ver algunos padres, que esperaban impacientes. Incluso el padre de Precusa, con su blusa azul de herrero, había hecho una escapada de la fragua. La madre de Nelle no podía estarse quieta. Poco antes de las doce llegó mi padre y alzó los ojos hacia la ventana donde sabía que estaba yo.

A las doce en punto habíamos terminado. Los padres se agolpaban en la salida, hojeando los cuadernos, mirando las soluciones. Mi padre cogió mi borrador y me dijo: «Está bien.» A nuestro lado, el herrero Precusa miraba y remiraba el trabajo de su hijo, sin entenderlo. Se aproximó a mi padre y le preguntó el resultado. Cuando comprobó que su hijo lo había hecho bien, dijo: «¡Bravo, pequeñín!» Mi padre le alargó la mano y él se la estrechó. Luego llegaba el ejercicio oral.

Yo fui uno de los primeros en ser llamado y volví a la clase a esperar. Me senté junto a Garrón, y yo estaba triste, porque aún no le había dicho que el año próximo ya no estaríamos juntos: mi padre me había dicho que nos iríamos a Turín. Por último decidí decírselo.

—¿No seguirás el último año con nosotros? —preguntó.

—No, no podré.

Se quedó en suspenso y luego continuó haciendo garabatos en un papel. Sin levantar la cabeza me preguntó si me acordaría de los antiguos camaradas.

—De todos, pero más aún de ti —repuse. Me miró muy serio y no dijo nada, pero su mirada indicaba muchas cosas.

Entró el maestro aprisa y nos dijo que al parecer las cosas marchaban bien. «Continuad así», nos dijo.

Lunes, 10

A última hora de la tarde nos volvimos a reunir en la escuela para conocer el resultado de los exámenes y recoger las calificaciones. La calle rebosaba de padres que también habían invadido el salón de actos.

Muchos incluso penetraban en las aulas, impidiendo el paso. El padre de Garrón, la madre de Deroso, Precusa, el herrero; Coreta, el vendedor de leña; la señora Nelle, la verdulera; el albañil, el padre de Estardo y finalmente otros que yo no había visto nunca.

Al entrar el maestro reinó un profundo silencio. Llevaba la lista en la mano y comenzó a leer muy rápidamente, por orden alfabético.

El albañilito había aprobado. Grosi, también. Deroso, ¡sobresaliente, como no! y por tanto primer premio. Se oyeron unos cuantos «¡Bravo, Deroso!» Él hizo un gesto levantando la cabeza rubia.

Luego siguieron unos cuantos suspensos, y uno de ellos se echó a llorar porque su padre le amenazaba desde la puerta. El maestro le dijo: «No siempre es culpa del chico, señor, también influye a veces la mala suerte. Hay muchas cosas en un suspenso.» Garrón, Garofi y el calabrés, aprobados. Nelle, aprobado: su madre le envió un beso. Estardo tuvo un notable, pero ni siquiera se inmutó. Con la cabezota entre las manos, seguramente que pensaba ya en el próximo curso. Votino, el último, también aprobado.

El maestro terminó. Se levantó y nos dijo:

—Ésta es la última vez que estamos juntos. Hemos convivido un año y ahora nos separamos. Lo siento, queridos niños. Si alguna vez me ha faltado la paciencia, si alguna y sin querer he sido injusto o demasiado severo, perdonadme.

—¡No, nunca, señor maestro! —se oyó un coro de voces.

—Hasta pronto, pues, muchachos, porque aunque el curso que viene no sea ya vuestro profesor, os seguiré viendo en los pasillos, en la calle...

Todos le tendían la mano y muchos le abrazaron, despidiéndose de él con cariño.

También llegó la hora de despedirnos entre nosotros. Votino, que siempre tuvo tanta envidia de Deroso, fue el primero en ir a abrazarle. Yo le di un fuerte apretón al «Albañilito», que me hizo su hocico de liebre, para ocultar su emoción.

Fue conmovedor ver cómo el jorobadito Nelle se abrazaba a Garrón. No había medio de separarlos. Por lo demás, todos querían despedirse de él, porque no había ni uno solo que no hubiera recibido algún favor de él. Era abrazado, zarandeado... Su padre estaba allí, admirado al ver cómo apreciaban al hijo.

Fue a Garrón al último que abracé. Después corrí hacia mis padres, que ya me esperaban.

—¿Te has despedido de todos, Enrique?

—Sí, papá.

—Bien, si hay alguno con el que tengas cuenta pendiente, alguna rencilla, con el cual no te hayas portado bien en alguna ocasión, ve y pídele perdón.

—Todos somos buenos amigos —respondí—. No recuerdo nada de lo que dices.

—En ese caso, vamos.

Y luego hizo algo muy extraño. Se volvió hacia el edificio de la escuela y dijo:

—Adiós.

Y no se refería a nadie en particular, sino al colegio en sí.

Mi madre repitió la misma palabra:

—¡Adiós!

En cuanto a mí... Bien, yo no pude decir nada. Estaba demasiado emocionado, ya que el próximo curso no estaría en ella, ni siquiera en la misma ciudad.

FIN

SELECCIÓN AVENTURA

Títulos publicados

1.- Veinte mil leguas de viaje submarino
Julio Verne

2.- Cuentos
Hans Christian Andersen